努力革命

ラクをするから成果が出る！
アフターGPTの成長術

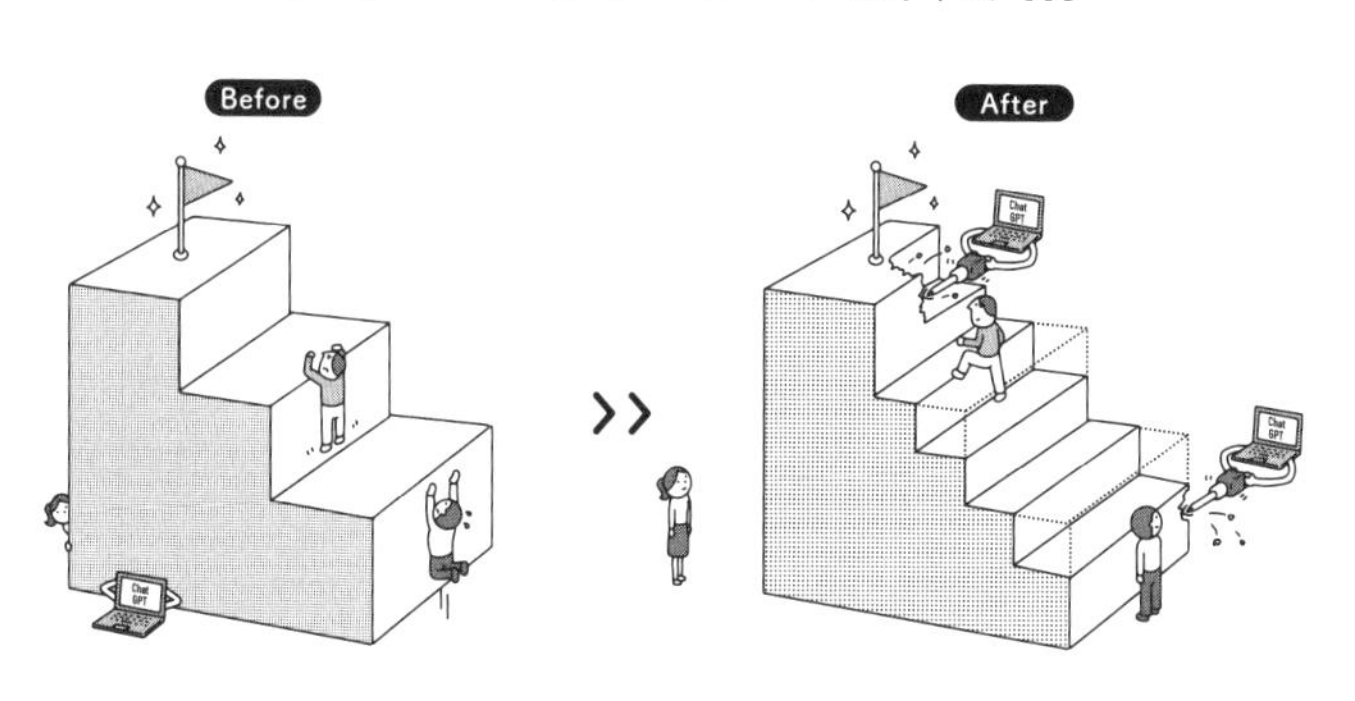

伊藤羊一 × 尾原和啓

はじめに――いま、努力革命が起きている！

ＣｈａｔＧＰＴ、使いこなしていますか？

人間がＡＩに置き換えられてしまうのが心配ですか？


まず、断言させてください。

人は、ＣｈａｔＧＰＴで、**ラクをして、楽しく、成長できる**ようになりました。

ＣｈａｔＧＰＴを使いこなさなければと思って、「魔法のプロンプト」探しをしている人。

もうやめましょう。振り回されて消耗するだけです。

自分には使いこなせそうにないからといって遠ざけている人。

使ってみたけれど大した答えが出てこなかったからと使うのをやめた人。

無茶苦茶もったいないです！

ＡＩがもたらした**ゲームチェンジから取り残される可能性大**です。

日々忙しく仕事に追われていると、つい同じやり方を繰り返し、新しいことへのチャレンジが減ってしまいます。

何か生煮えの中途半端なことを言ったら上司に怒られるかもしれない、ＡＩにだって叱られるかもしれないという不安も尽きません。

他方、世の中では、ロジカル・シンキングなどの「頭の良さ」を駆使して、「経験」を積んでいく人に、どんどんチャンスが集まります。

打ち合わせに同じだけの時間を使っても、「センス」のいい人は、さっと賞賛をつかんでいきます。

そのような人たちは、才能や成長を加速させる「なにか」を持っています。

ＣｈａｔＧＰＴがあなたに提供してくれるのは、その「なにか」です。

ＣｈａｔＧＰＴを使えば……
「頭の良さ」をコピーできる。
「経験」もコピーできる。
「センス」もコピーできる。

そうやって、誰もがラクして楽しく成長しながら　多くのチャンスを手にできるようになります。

というよりも、これからはラクをしなければ、成果を出せません。これまでのような**シンドイ努力をしていたのでは、成果は出ません**。

そう、ＣｈａｔＧＰＴの登場によって起きたのは、**「努力革命」というゲームチェンジ**なのです。

ここで大事なのは、ＣｈａｔＧＰＴは、厳しい先生でも上司でもないということ。正解のプロンプトを入力しなくても、ざっくり始められる、誰もが一歩目を踏み出せる、フレンドリーで超優秀なツールがＣｈａｔＧＰＴです。

この本の著者は、伊藤羊一と尾原和啓の二人です。

伊藤は、60万部超のベストセラー『1分で話せ』の著者で、大学の起業家育成の学部の学部長なのに、寮に住み込み、学生や社会人の成長に熱く実践的に向き合い続けています。

尾原はオタクで、AI研究で大学院に住み込み、マッキンゼー、Google、楽天執行役員として、常に新しいことをチカラにかえてきました。

ChatGPTの台頭によって、努力の方法だけでなく、**「成功」も「成長」も、そのあり方はまったく変わってしまいました**。

そんな中で、僕たち二人も、自分たちのやり方を大きく作り直してきました。そのプロセスで得たものや考えたことを記したのがこの本です。

本書では、**AIが世界にもたらした3つの大きなゲームチェンジ**と、一人ひとりの**成長をめぐる6つのゲームチェンジ**について語っています。

世界で起きたゲームチェンジから取り残されることなく、成長のゲームチェンジを楽しむにはどうしたらいいのか。

一度読めば、すぐ日々の行動に移せるように、変化するためのコツと実践例を、わかりやすく解説しました。


ＣｈａｔＧＰＴをそれなりに使ったことのある人にとっては、「そんなこととっくに知ってるよ」というプロンプトの実践例も出てくるかと思います。

そんなときは考え方だけをサラッと読んで、次に進んでください。


次ページでは、本書を読むことであなたがどんなふうに成長できるのか、どんな成長のゲームチェンジが起きるのかを一覧にしました。

順を追って実践していただいてもOK、つまみぐいもOKです。

すべての面で成長しようとしなくていいんです。

あなたが好きなことにフォーカスしながら、ＣｈａｔＧＰＴと一緒に成長のゲームチェンジを起こしていきましょう。

本書で成長できること

0. ChatGPTがもたらした3つのゲームチェンジを理解できる
1. 壁打ち相手を得て、「ざっくり→じっくり」で早く動けるようになる
2. ロジカル・シンキングや「頭の良さ」をコピーしてものにできる
3. 業界知識や「経験」をコピーしてものにできる
4. クリエイティブな「センス」をコピーしてものにできる
5. ChatGPT時代に合った学び方をものにできる
6. コピーできない「大切なこと」がわかる
7. 「やるべき」でなく「やりたい」を起点にできる
8. 普通の人でも、想像もしていなかった高いところまで行ける

成長のゲームチェンジ

1. モヤモヤして悩む　↓　吐き出して考える
2. 締切前日にアタマ真っ白　↓　ざっくりで常時稼働
3. 30%しか見えていない　↓　100%見えて、日常が気づきの宝庫に
4. PDCAで80点の合格点　↓　DCPAで120点のクリエイティブ
5. 無難に周りの正解に合わせる　↓　自分軸で決める
6. こんな高い階段、上れない　↓　気がつけばこんな上まで！

目次

序章

ChatGPTがもたらした3つのゲームチェンジ

第1章

ChatGPTで壁打ちする

第2章

「頭の良さ」はコピーできる

第3章

「経験」はコピーできる

第4章

「センス」はコピーできる

第5章 ChatGPT時代の学び方

第6章

それでもコピーできないものがある

成長のゲームチェンジ5

第7章

「やるべき」でなく「やりたい」を起点に

第8章

普通の人だってこんなに高くまで行ける

ChatGPTがもたらした3つのゲームチェンジ

ＣｈａｔＧＰＴはビジネスの世界にどんな変化をもたらしたのか。

それは「『80点』が合格ラインでなくスタート地点になる」「あらゆる物事は個別化していく」「正解主義から修正主義へ」の３つに集約されると、僕たちは考えています。

変化その１ 「80点」が合格ラインでなくスタート地点になる

２０２３年11月に「Microsoft 365 Copilot（コパイロット）」が、日本でも一般企業向けにサービスを開始しました。

コパイロットとは、日本語で言えば「副操縦士」。Word や Excel、Teams や Outlook など、普段使っている Microsoft 365 にＡＩ支援機能を搭載したものです。

「Microsoft 365 Copilot」を使うと、わざわざプロンプトを入力しなくても、**生成ＡＩが僕たちの代わりに仕事をしてくれる**ようになります。

Teams でのオンライン会議が終わると、ＡＩが議事録を作成して、Outlook のカレンダーやタスク表に、それぞれの役割に応じたＴｏＤｏリストが反映されます。

たとえばあなたが人事の採用担当責任者だったら、「来期、エンジニア採用を強化するという議論がありました」「ついては採用市場のリサーチをした方がいいです」などと教えてくれます。「どうしてエンジニア採用を強化するの？」と質問すると、議事録をもとに答えてくれます。

同じように「Notion（ノーション）」や「GitHub（ギットハブ）」などのビジネスツールにも、すでに生成ＡＩが搭載されています。意識しなくても、生成ＡＩが僕たちの仕事を先回りしてくれるようになるわけです。

たとえばA社にプレゼンに行くことが会議で決まったら、「A社にプレゼン」というＴｏＤｏが自動的にカレンダーに表示されます。それをクリックすると、前回A社に行ったときの商談内容をＡＩが要約してくれます。そこから、プレゼン資料の叩き台までつくってくれます。

僕たちがやることは、ＡＩがつくった叩き台から良いものを選び、「見積もりの数字はこれでいいのかな……他社の価格動向を調べてみてくれる？」などとＡＩに細かな調整をしてもらい、あとは実際に訪問するだけです。

いわば100点満点中、80点までの仕事は、どんどんAIが先回りしてやってくれる。

ホワイトカラーと呼ばれる職種の人たちがやってきたのは、多くがこの「80点までの仕事」です。議事録作成やスケジュール調整、市場リサーチ、資料作成などの仕事に時間を使って、上司の判断を仰ぐところまでが、仕事の大部分だったわけです。

それだけでは経営陣にまで出世できないとしても、「80点までの仕事」をこなし、上司の指示に従っていれば、とりあえず給料はもらえました。

しかし、それをAIがやってくれるようになったら、**80点は、合格ラインではなく、単なるスタート地点**ということになります。

「80点とれます」は、試合への単なるエントリー。その先、いかに**100点まで高められるか**、さらに**120点を目指せるか**が勝負になります。

リクルートでは、サービスを設計するとき「あたりまえ価値」「ワクワク価値」

という言い方をします。

「あたりまえ価値」とは、最低限クリアしておかなければならない水準です。ユーザーになにか提案するとき、要件を満たしていることはあたりまえで、ここで失点したら話にならない。その上で「ワオ！」と感動させられる水準まで持っていって初めて、お客さんが惚れ込んでファンになってくれる。

そこで、いかに時間をかけず「あたりまえ価値」をクリアするか、その上で「ワクワク価値」に注力できるかが問われます。実はこの考え方こそが、リクルートが持つ強さの源泉です。

これからＣｈａｔＧＰＴが「あたりまえ価値」までやってくれるようになると、僕たちはみんな**「ワクワク価値」という土俵で勝負する**ことになります。いかに「ワオ！」を生み出せるか。お客さんが惚れ込んでくれるものをつくれるか。そんな競争になっていきます。

こうなると「優秀さ」の定義も変わっていきます。

これまでは、こんな能力を持つ人が「優秀」だとされてきました。

与えられた問題に正しく答える
命じられた仕事を間違いのないようにこなす
ルールを理解して、きちんと守る
たくさんの知識を暗記し、論理的に組み立てて考える

こうした仕事は、まさにChatGPTが得意とするところなので、ChatGPTにやってもらえばいい。
これから求められるのは、ここをスタート地点として、その先でどれだけ「ワクワク価値」を高められるかという「優秀さ」です。

変化その2　あらゆる物事は「個別化」していく

ChatGPTの特徴のひとつに「個別化」があります。
たとえば「新NISAってなに?」と質問すると、一般的な回答を返してくれま

すが、「小学生でもわかるように説明してください」というと、よりわかりやすく回答し直してくれます。

「すでにiDeCoをやっている人が、新NISAも始めるときに、注意しなければならないことはありますか？」など、質問者の事情に合わせて、**いくらでも個別に回答してくれます**。

これを学校教育に応用してみると、どうなるでしょうか。

これまでは1クラスに35人が集まって、同じ授業を聞くのがあたりまえでした。学習スピードについていけなければ落ちこぼれの烙印を押され、逆に、とっくにわかっている得意科目でも先に進めず、みんなを待っていなければなりませんでした。

ところがChatGPTの登場によって、この常識は大きく変わります。

ChatGPTを先生にすれば、教科の内容でわからないところがあっても、「ちょっと難しいから、小学校2年生でもわかるように説明してください」と尋ねれば、何度でもわかるまで説明してくれます。

学習の進みぐあいや興味に合わせて、ＣｈａｔＧＰＴが一人ひとりにカスタマイズした幅の階段をつくってくれるので、誰もが階段を上りやすくなります。

これまで僕たちは、階段の幅に自分を合わせなければいけませんでした。でもＣｈａｔＧＰＴを使えば、**自分に合わせて階段の幅を変えられるようになります**。

学校教育だけではありません。

ビジネスの現場でも、たとえば「１００人の能力や適性に合わせて１００通りのマニュアルをつくってください」と言えば、あっという間につくってくれるようになるでしょう。

１０００人の顧客がいれば、１０００通りのセールスレターをつくってもらうこともできます。

このような「個別化」が進むことで、ビジネスや社会のあり方は大きく変わっていきます。

変化その3　正解主義から修正主義へ

これまで僕たちは「物事には正解がある」という前提のもとに生きてきました。有名大学を卒業して大企業に入る。「正解」と呼ばれるコースがあり、そこを上手に進める人が成功者とされる。そんな社会です。

たしかにこれまでは「正解」がありました。

自動車をつくるのに必要なのはミスがないことです。どんなにデザインが優れていても、ブレーキの利かない車があっては命に関わります。

いかにミスなく品質の高いものを提供できるか。そのために必要なのは、**最短距離で正解にたどりつく力**でした。

正解主義で回る社会というのが、戦後日本の勝ちパターンだったわけです。

しかし、あらゆるものにAIが埋め込まれ、80点の答えを先回りして準備してくれるようになると、もはや**正解を出す力だけでは勝負できません**。

そうなると、いかに修正を繰り返しながら、より良いもの、みんなが納得するものをつくれるかが鍵になります。

リクルート初代フェローから東京都で初めて公立中学校の民間人校長に採用され、武蔵野大学アントレプレナーシップ学部（武蔵野ＥＭＣ）客員教員である藤原和博さんは、この変化を「**正解主義から修正主義へ**」と言っています。

つまりこれからは、「一発必中」で正解を出せる人よりも、不完全でもいいから数を打って、その中で**軌道修正しながら正解を見つけていける人**のほうが、有利なのです。

これまでの正解主義から抜け出せない人は、ＡＩと競争することになり、努力しても成果は上がらず、疲弊していきます。

一方、こんな力を持っている人は、修正主義の社会で活躍のチャンスが広がります。

「これ好き！」「面白い」を発信できる人
「だってやりたいんだもん」と言い切れる人
そつなく満遍なくこなすよりも、ひとつのことが圧倒的に尖っている人

すでに、そんな変化の兆しを感じ取っている人も多いのではないでしょうか。


偏差値の高い大学を出て高倍率を潜り抜けたテレビ局員より、YouTubeなどでエッジの効いた発信をする人が社会的な成功を収めている。

成功した起業家を見ると、ちょっと非常識な変わり者が多い。

一方、「真面目でいい人」ほど、長時間労働に疲れ果てている。

真面目に勉強して、会社で評価されて出世しても、「暮らすのに困らない」生活が約束されるだけで、報われない。


活躍している人たちの共通点は、正解探しの呪縛からいち早く解放されて、**自分の「好き」を追求している**ことです。

動画やSNSの普及によってもたらされてきたこの10年の変化が、生成AIの台

頭によって不可逆の変化となって定着しつつあるということが、いま起きていることなのです。

成長の仕方も、これまでの常識とは「逆」になる

これからやってくるのは、**これまで日本で「常識」とされてきたことの「逆」の世界**です。

普通の人が、仕事に必要な「頭の良さ」や「経験」や「センス」を身につけるには、時間をかけてコツコツ努力することが必要でした。

でもＣｈａｔＧＰＴを使えば、「頭の良さ」も「経験」も「センス」も、簡単にコピーし、手に入れられるようになります。

つまり、一人ひとりが成長するために必要な努力の方法も「逆」になるということです。

そこでこの本では、これまで囚(とら)われていた常識を脱ぎ捨てて、「逆」へとアップ

デートする方法をお伝えしたいと思います。

第1章から第4章では、ＣｈａｔＧＰＴを使って頭の良さや経験、センスをコピーするための具体的な方法についてお伝えします。

第5章では、ＣｈａｔＧＰＴ時代に必要な学び方についてご説明します。

そして、第6章から第8章では、それでもコピーできない力をどのように鍛えるかについてお話ししていきます。

ChatGPTで壁打ちする

「ざっくり↓じっくり」、ChatGPTで壁打ちする5つのステップ

この本では、ChatGPTのさまざまな使い方や、そのためのプロンプトの紹介はしません。

最新のハウツーを紹介した良質な動画やウェブの記事、雑誌・本はたくさんありますので、必要に応じてぜひそちらを参考になさってください。

この本で提案したいのは、**ChatGPTを壁打ちの相手として使う**ということです。

壁打ちとは、壁に向かってボールを打つように、相手に話を聞いてもらい、相手からきた答えを打ち返すことを繰り返しながら、自分の考えを整理し、アイデアを練ったり、問題の解決策を探したりするプロセスです。

ChatGPTは、この壁打ちの格好の相手になってくれます。

ChatGPTを相手にした壁打ちは、ITが苦手な人でも、すぐに始められ、

どんな仕事にも役立ちます。

それだけでなく、最新のハウツーやプロンプトを活用してＣｈａｔＧＰＴを使いこなしていく上でもぜひ知っておいてほしい、基本の使い方でもあります。

ＣｈａｔＧＰＴは壁打ちの相手として利用することで、最も本領を発揮すると言ってもいいでしょう。

具体的には**「ざっくり↓じっくり」の、以下の５つのステップ**で行います。

1　まずはざっくり
2　問題を小分けにする
3　打ち手を考える
4　絞り込む
5　じっくり質問を繰り返す

ChatGPTは正解を探すツールではない

ＣｈａｔＧＰＴを相手に壁打ちを始める前に、知っておいてほしいことがあります。

それはＣｈａｔＧＰＴと既存の検索エンジンとの違いです。

当初、メディアが「検索の未来を変える」などとセンセーショナルに煽ったこともあり、ＣｈａｔＧＰＴを検索エンジンの進化版と考えている人も少なくありません。

ＣｈａｔＧＰＴは、Google のような**検索エンジンとは、まったく別物**です。

生成ＡＩと検索エンジンとの違いを一言でまとめると、以下のようになります。

検索エンジン↓いまある情報から探す
生成ＡＩ↓いまないところからつくる

検索エンジンが既存の情報から答えを見つけるのに対して、ＣｈａｔＧＰＴなどの生成ＡＩは、既存のテキストや画像などのデータから学習した情報をもとに、新しいコンテンツを生成します。

つまり「正解を探す」だけなら、検索エンジンを使う方が早いことが多い。「正解を探そう」という目的で使っているだけだと、ChatGPTの本来の力は引き出せません。

ChatGPTは、正解を検索するツールではなく、**対話（チャット）しながら新しいものを一緒につくっていく「共創」のツール**です。

これは、それぞれのツールが持つ特徴が違うという以上の意味を持っています。検索エンジンから生成AIへというトレンドは、僕たちの生きる社会の前提そのものが「正解を探す」から「これまでなかったものをつくる」へと変わりつつあるということとリンクしていると思います。

ステップ1　まずはざっくり

では、ChatGPTを活用した「壁打ち」のやり方についてお話ししていきましょう。

ＣｈａｔＧＰＴに質問するときのコツは「**まずはざっくり**」です。

Ⓠ キャリアアップのために大切な要素を教えてください。

このくらいざっくりした質問で大丈夫です。
こう質問すると、以下のような回答が得られます（ＣｈａｔＧＰＴの回答は毎回異なるので、これはあくまでも一例です）。

Ⓐ キャリアアップのためには、いくつかの重要な要素があります。以下に、その要素をいくつか挙げてみます：

1. **目標設定**：まず、どのようなキャリアを望んでいるのか、どのようなポジションになりたいのかを明確にすることが重要です。明確な目標がないと、どの方向に進むべきかわからなくなります。

2. **スキルの獲得と向上**：キャリアアップのためには、必要なスキルを身につけることが不可欠です。自己啓発書の読書やオンラインコースの受講、実務経験の積み重ねなどを通じて、自身のスキルセットを向上させる努力をしましょう。

3. **コミュニケーション能力の向上**：コミュニケーション能力は、ほとんどの職種で非常に重要です。上司や同僚との円滑なコミュニケーションができるようになることで、仕事の効率が向上し、チームでの評価も高まります。

4. **人間関係の構築**：ネットワーキングは、キャリアアップにとって非常に重要な要素です。業界の専門家や同僚とつながりを持ち、情報交換や相談できる人脈を構築しましょう。

5. **リーダーシップの発揮**：リーダーシップ能力は、キャリアの成長において重要な役割を果たします。チームをリードし、プロジェクトを成功に導くための能力を身につけることが重要です。

6. **柔軟性と適応力**：仕事環境や業界は常に変化しています。そのため、柔軟性を持ち、変化に適応できる能力が重要です。新しい技術や業務手法に対してオープンであることが、キャリアアップにつながります。

7. **自己マーケティング**：自分の強みや実績を他人にアピールする能力も重要です。自己PRや履歴書、面接において自身を効果的にアピールできるようにすることが、キャリアアップにつながります。

これらの要素をバランスよく組み合わせて、自身のキャリアを着実に築いていくことが重要です。

ステップ2　問題を小分けにする

「まずはざっくり」でアタリをつけたら、そこから**小分けにしていきます**。

この回答を見て「自分はコミュニケーションスキルを強化したほうがいいかもしれないな」と思ったら、以下のように聞いてみてください。

Ⓠ 職場で必要とされるコミュニケーションスキルについて教えてください。

そうすると、さらに詳しく回答してくれます。

Ⓐ 職場で必要とされるコミュニケーションスキルは多岐にわたりますが、以下にいく

つか重要な要素を挙げてみます：

1. **明確な表現力**：意見やアイデアを明確に伝える能力は非常に重要です。複雑な情報を簡潔にまとめ、相手に理解してもらえるようなコミュニケーションが求められます。

2. **能動的なリスニング**：職場では、他者の意見やフィードバックを理解し、尊重することが重要です。相手の話に耳を傾け、適切なフィードバックを返すことが求められます。

3. **適切なフィードバックの提供**：上司や同僚へのフィードバックを適切に提供することが重要です。具体的で建設的なフィードバックを提供し、相手の成長や業績向上に貢献します。

4. **エンパシー**：職場では、他者の立場や感情に共感し、適切な配慮を示すことが求められます。エンパシーを持ち、他者との信頼関係を築くことが重要です。

5. **効果的なチームコミュニケーション**：チームでのコラボレーションが求められる場合、効果的なチームコミュニケーションが不可欠です。タスクの分担や進捗状況の共有、意見の交換などを円滑に行うために、コミュニケーションスキルが重要です。

6. **ストレス管理**：職場では、ストレスやプレッシャーが発生することもあります。ストレスをうまく管理し、冷静なコミュニケーションを保つことが重要です。

7. **柔軟性と適応力**：職場環境は常に変化しています。柔軟性を持ち、変化に対応し、適応することができるコミュニケーションスキルも重要です。

これらのスキルを磨き、職場で効果的なコミュニケーションを行うことで、自身のキャリアにプラスの影響を与えることができます。

最初にざっくり聞いて、返ってきた答えの中から、どの辺に可能性がありそうか、おおよそのアタリをつける。そこから問題をピックアップし、さらに深掘りしていく。小分け→小分けのプロセスです。

つまり、**最初から完璧な問いをしなくていい**ということ。

これはコンサルタントが使う問題解決の手法と基本的には同じです。

コンサルタントがよく使う「2割8割」という言葉があります。全体の8割にインパクトをもたらしそうなキモとなる2割の部分にまずアタリをつけて、そこから問題解決を進めるのです。

それを繰り返した上で、どうやらこの辺を深掘りすると解決の糸口になりそうだということを見つけていくわけです。

ステップ3　打ち手を考える

問題が小分けになったら、さらに問いを進めます。

Q それぞれのスキルを習得する具体的な方法を考えてください。

するとこのような回答が返ってきます。

A それぞれのコミュニケーションスキルを習得するためには、具体的な方法がありま す。以下にそれぞれのスキルに対する具体的な方法を挙げてみます：

1. **明確な表現力**：
・プレゼンテーションの練習：自分のアイデアや意見を他者に伝えるために、定期的にプレゼンテーションの練習を行います。
・ライティングの訓練：メールやレポートなどの文書を書く練習を通じて、自分の考えを明確に表現する能力を向上させます。

2. **能動的なリスニング**：
・アクティブリスニングの練習：話し手に集中し、その内容を理解するために積極的に質問をしたり、要約したりする練習を行います。
・フィードバックの実践：リスニング後に適切なフィードバックを返す練習を行います。

3. **適切なフィードバックの提供**：
・具体的なフィードバックの提供：具体的な事例や行動についてフィードバックを提供し、改善点や認めるべき点を明確に伝えます。
・改善案の提案：問題点を指摘するだけでなく、改善案や解決策を提案することで、より有益なフィードバックを提供します。

4. **エンパシー**：

・状況の理解：相手の立場や感情を理解するために、状況や背景を考慮する練習を行います。
・共感の表現：相手の感情や立場に共感し、適切な配慮やサポートを示す練習をします。

5．**効果的なチームコミュニケーション**：
・チームミーティングの参加：チームミーティングやディスカッションに積極的に参加し、自分の意見や考えを積極的に表明します。
・コラボレーションの練習：チームメンバーとのコラボレーションを通じて、効果的なコミュニケーションスキルを磨きます。

6．**ストレス管理**：
・リラックス技術の習得：マインドフルネスや深呼吸などのリラックス技術を練習し、ストレスを軽減します。
・タイムマネジメントの向上：タスクの優先順位をつけたり、適切な休憩を取ることで、ストレスを軽減します。

7．**柔軟性と適応力**：
・変化への前向きな姿勢：新しい状況や環境に対して前向きな姿勢を持ち、柔軟に対応する練習をします。

・新しいスキルの獲得：新しい技術や手法を学び、自身のスキルセットを拡大することで、柔軟性と適応力を向上させます。

これらの方法を実践することで、各々のコミュニケーションスキルを効果的に向上させることができます。

「やってみたいな」と思うものがあれば、さらに以下のように質問してみます。

Q プレゼンテーションのスキルを1週間で習得するためのカリキュラムを考えてみてください。

小分けにすることで、まず問題のありかがわかります。**問題のありかがわかると、打ち手が見つかりやすくなります**。

「会社の業績が良くないな。どうしてだろう?」と考えていても、なかなか打ち手は見つかりません。それは問いが大きすぎるからです。

そこで、まず業績を、売上、費用、利益などとざっくり分けて把握した上で、それぞれを、事業部やエリア別、顧客属性別、季節別などの切り口で分解していきます。

そうすると、たとえば以下のような問題が明らかになってきます。

「B事業部の利益率が低いな」
「特にCM費用がかさんでいるようだ」
「たくさんCMを打っているのに、売上につながっていない」

このくらいの解像度になるまで小分けできれば、「B事業部のマーケティング手法を見直してみよう」という打ち手が自然と見えてくるわけです。

ステップ4　絞り込む

ここまでがChatGPTを使って問題解決をするための、基本的な問いの方法です。

ただ、これだけでは、あたりさわりのない回答しか返ってこない可能性が高いので、「なんだ、こんなものか」と思うかもしれません。

ＣｈａｔＧＰＴを使いこなす上でキモとなるのは、その先の絞り込み、すなわち**前提と制約条件の追加**です。

最初に「ざっくり」聞くと、ＣｈａｔＧＰＴはなるべく多くの人に当てはまりそうな「ざっくり」した回答を返してきます。

そこに前提と制約条件を追加していくと、より望ましい回答に近づいていきます。

前提とは、キャラや場面設定のようなものです。前提が明確になると、ＣｈａｔＧＰＴはそれに合わせた回答を考えてくれます。

［前提の例］
・自分の役割を設定する
メーカーの公式X（旧Twitter）アカウントを運営しています。
商品開発のアイデアを考えています。

・ChatGPTの役割を設定する
あなたは敏腕マーケターです。
あなたはプロの編集者です。
あなたは〇〇の専門家です。

・ターゲットを設定する
読者は40代の男性ビジネスパーソンです。
メールの送信相手は取引先です。
説明する相手は小学生です。

制約条件としては、どんなアウトプットがほしいのかを入力すると、必要とする回答が得られやすくなります。

［制約条件の例］
・回答数を設定する
考えられる要因を10個教えてください。

・文字数を設定する

140文字以内で答えてください。

○○をテーマとした本を書きたいので、章構成を考えてください。それぞれの章について300文字以内の説明を記述してください。

○○のために大切な要素を箇条書きでまとめてください。

○○のために大切な要素をツリー構造でまとめてください。

・用途を設定する

ビジネスメールに書き直してください。

○○についてＴｏＤｏリストを作成してください。

○○の手順を5つのステップにまとめてください。

・違う視点を得る

なるべくたくさん観点を挙げてください。

○○について、○○と考えていますが、別の視点があれば教えてください。

・具体度・抽象度を高める
上記の回答のうち、〇〇について具体的に教えてください。

〇〇について具体的な事例を10個挙げてください。

〇〇について抽象化してください。

ステップ5　じっくり質問を繰り返す

前提と制約条件は、最初のプロンプトには入れなくても大丈夫です。「まずはざっくり」で聞いてみる。それから、前提と制約条件を少しずつ追加して質問することで、回答の精度をじっくりと高め、自分のほしい答えに近づけ、思考を深めることができます。

問いの切り口を変えていくといってもいいでしょう。

これは、回答に連続性があるという、ChatGPTの特徴を利用した問い方です。前の問いを踏まえて回答してくれるので、まずはざっくり聞いて、「〇〇についてもっと詳しく」「上記の回答のうち、〇〇について具体的に」などと追加していけばいいのです。

ＣｈａｔＧＰＴのもうひとつの特徴は、何度でも回答してくれることです。もし回答にピンとこなければ、再生成（Regenerate）ボタンを押しましょう。同じプロンプトでも、別の回答を返してくれます。

ＣｈａｔＧＰＴは、大量のテキストデータからパターンを学習して回答するように設計されています。確率論で動いているので、同じ質問を繰り返すと、別の回答がある程度ランダムに返ってくるのです。

ＣｈａｔＧＰＴは、同じ質問であっても、再生成ボタンを押せば、少しずつパターンを変えて回答してくれます。「もっと詳しく教えてください」「もっと簡単に教えてください」と入力すれば、自分に合った答えが出るまで、何度でも回答してくれます。

最初にざっくり質問するとき、「〇〇について考えられる理由を10個教えてください」など「少し多いかな？」と思う量を回答してもらうのも、おすすめです。

「最初から一発必中で回答を求めようとしない」ことは、ＣｈａｔＧＰＴを使いこなす鉄則のひとつです。

「ざっくり↓じっくり」の５つのステップを、状況に応じて自由にアレンジしながら何度でも繰り返して、ベストな回答を探し当てましょう。

深津式プロンプトを使ってみる

ＣｈａｔＧＰＴが公開されてから、さまざまなプロンプトが生まれていますが、汎用性が高くて使いやすいのは、ｎｏｔｅ株式会社ＣＸＯの深津貴之さんが考案した「深津式プロンプト」です。

［テンプレート］

Q

＃命令書：
あなたは｛ｔｅｘｔ｝です。

以下の制約条件と入力文をもとに、最高の結果を出力してください。

#制約条件：
・文字数は｛text｝
・｛text｝

#入力文：
｛text｝

#出力文：

［入力例］

Q

#命令書：
あなたはプロの編集者です。
以下の制約条件と入力文をもとに、最高の要約を出力してください。

＃制約条件：
・文字数は300文字程度。
・小学生にもわかるように。
・重要なキーワードを取り残さない。
・文章を簡潔に。

＃入力文：
（要約してほしい文章を入れる）

＃出力文：

深津式プロンプトはとても便利で、ChatGPTを使う際の定番プロンプトとしてすっかり定着しました。

そのもとになっている考え方は、前項までご紹介した5つのステップと同じです。実際、考案者である深津さんは、次のようなわかりやすい説明をしています。

「リンゴについて教えて」とChatGPTに聞くと、たとえば、こんな答えが返ってきます。

Ⓐ

リンゴについてですね。以下にリンゴに関するいくつかの情報をお伝えします。

1. 起源と歴史：リンゴは、アジア中央地域からヨーロッパやアメリカ大陸に広がったと考えられています。最初のリンゴは野生種であり、人々によって栽培されるようになったのは何千年も前のことです。

2. 種類：リンゴには多くの品種があります。一般的な品種には、レッドデリシャス、ゴールデンデリシャス、フジ、グラニースミス、ハニークリスプなどがあります。これらの品種は、形、色、味において異なります。

（以下省略）

このように果物のリンゴについて一生懸命に説明してくれます。それは「リンゴ」と言うとき、多くの人が連想するのは果物のリンゴで、ChatGPTは、確率上いちばんありえそうな、無難なものを答えるという特徴があるからです。

しかし僕たちが「リンゴ」について知りたいとき、そこには、ニュートンのリンゴ、旧約聖書でアダムとイブが食べたリンゴ、Appleのロゴのリンゴ等々、果物としてのリンゴだけではない、さまざまな場合があります。

旧約聖書に登場するリンゴのことを知りたいのに、果物の説明をされても意味がありません。

そこで、最初に以下のような質問をすれば、望む答えに早く近づくことができます。

Ⓠ 宗教におけるリンゴの位置づけは?

この「宗教における」の部分が、深津式プロンプトにおける「あなたは{tex

t〜です。」の部分なのです。

ここまでお話ししてきステップ1〜4の、「まずはざっくり」から「絞り込む」までのプロセスを最初からある程度埋め込んだのが、深津式プロンプトだと言ってもいいでしょう。


こういったプロンプトをいろいろ使ってみることで、ＣｈａｔＧＰＴの答え方に慣れ、**自分のほしい答えに早くたどりつけるようになります**。

でも、最初はともかく「まずはざっくり」でＯＫです。

「リンゴについて教えて」とＣｈａｔＧＰＴに質問し、果物のリンゴについて一生懸命説明してくれる答えを見て、「あー、自分が知りたいのは、アダムとイブのリンゴだ」と気がつくといったことは、よくあることです。

「的確な質問をしなくちゃ」とプレッシャーを感じて、アイドルタイムができてしまうより、まずはボールを投げて、壁打ちを始めてしまいましょう。

開発途上の技術なので、この4点に注意しよう

ＣｈａｔＧＰＴはまだ開発途上の技術なので、使用するにあたってはいくつかの注意が必要です。使ってみて実際に経験した人も多いと思いますが、代表的な注意点を挙げておきます。

①たまにウソをつく

ＣｈａｔＧＰＴの特徴は、どんな質問をしても、文脈をつなぎ合わせてそれらしく回答してくれることです。

ただ回答の中には、正確でない情報も含まれています。人工知能が間違った内容を堂々と答える現象のことを**幻覚（ハルシネーション）**と呼びます。

一部の大学では、論文やレポート作成における生成ＡＩの利用を禁止していますが、その理由のひとつに、情報の信憑性を挙げています。

情報を鵜呑みにせず、信憑性を吟味する。このスタンスが大切なのは、生成ＡＩ

に限らず、インターネット検索全般、さらにいえば新聞・テレビなどのニュース、雑誌・書籍であっても変わりません。

②最新情報は知らない

現時点で、ＣｈａｔＧＰＴは２０２２年１月までの情報しか持っていません（２０２４年４月現在）。そのため時事問題を入力すると、以下のような回答が返ってきます。

Ⓠ 日本の総理大臣は誰ですか？

Ⓐ 私の最新の情報は２０２２年１月までなので、現在の日本の総理大臣についての情報は持っていません。２０２２年１月以降に変更があった可能性がありますので、最新の情報を確認することをお勧めします。

ただ有料版のＧＰＴ－４では、ウェブ上の最新情報を参考にする機能が搭載されました。プラグインと呼ばれる拡張機能を追加すれば、最新情報を読み込むこともできます。

今後、この機能は大幅にアップデートされていくことが予想されます。

③英語圏の情報が多い

ＣｈａｔＧＰＴは、インターネット空間におけるデータを学習しています。

現状、インターネット空間におけるデータの多くは英語でできています。そのため、ＣｈａｔＧＰＴの知識はどうしても英語圏のものに偏りがちです。

たとえば「結婚式の衣装について説明してください」と入力すると、白いブライダルドレスやタキシードについて解説してくれます。これは英語圏における結婚式を主に学習しているためです。

日本なら打掛・紋付袴になるでしょうし、各国に伝統的な結婚式の衣装があるわけですが、そういった情報はなかなか出てきません。こうしたバイアスがあることは知っておいたほうがいいでしょう。

④著作権に注意しながら活用する

現在、ＣｈａｔＧＰＴなどＡＩの企業活用はＣｈａｔＧＰＴを組み込んだ

Microsoft のＡＩサービス活用企業が世界で5万社を突破するなど、急速に進んでいます。

ＣｈａｔＧＰＴを開発したOpenAI社は、ＣｈａｔＧＰＴの生成した文章の著作権を利用者に譲渡すると、利用規約に記しています。

あなたの質問に対する回答は、原則として、**あなた自身の文章として自由に使うことができる**ということです。

ただし、ＣｈａｔＧＰＴは、先述したように、インターネット空間における大量のテキストデータを学習して、文章を生成しています。そのため、生成した文章が、既存の記事や作品に酷似し、**著作権を侵害している可能性**があります。

得られた回答を私的利用以外に用いる場合は、あなたが自分で作った文章や絵が、誰かの著作権を侵害しているかもしれないということを念頭におき、注意する必要があります。

ただ、これはあくまで私的利用以外のケースであって、**自分で壁打ちに使うのは自由**という点が大事です。

また、あなたが入力するデータは、ＣｈａｔＧＰＴの学習に使われます。

学習に利用してほしくない場合は、ブラウザ版であれば左下の［設定］から［データ制御］に入り、［チャット履歴とトレーニング］のタブをオフにすれば、学習させないようにできます（設定は今後変わる可能性があります）。

ビジネスユースのために会社の情報を入力する場合は、それぞれの会社における情報管理規定を遵守し、情報漏洩のリスクを冒さないよう、十分な注意が必要です。

吐き出して考える

after

恥ずかしくない。怒られない。何時間でも付き合ってくれる。
ChatGPT に吐き出そう！

自分を客観視できる。問題を小分けにできる。
モヤモヤがスッキリする。

「悩む」から「考える」へ！

成長の
ゲームチェンジ
1

モヤモヤして悩む

before

正解のない時代。将来を予測できない。

どうしよう？　でもこんなモヤモヤしたこと、
誰にも相談できない

どうしよう？？
悪循環で悩みがどんどんグシャグシャに……。

第2章

「頭の良さ」はコピーできる

「頭の良さ」とは「引き出しの多さ」と「つなげる力」

これまで「頭の良さ」というのは、生まれついた知能の高さによるもの、あるいは長時間勉強することで、初めて身につけられるものだと考えられてきました。

ところがＡＩの登場によって「頭の良さ」は簡単にコピーできるようになりました。

そもそも「頭の良さ」とはなんでしょうか。

いろいろな要素がありますが、シンプルにいうと**「引き出しの多さ（＝知識量）」と「つなげる力（＝推論力）」**ではないかと思います。

ニュートンは、リンゴの実が木から落ちるのを見て「万有引力の法則」を発見したといわれています。ありふれた光景と、それまで研究してきた物理学の知識をつなげたことが、世紀の発見を生みました。

一時期、Twitter（当時）でバズった話です。

目の前にあるリンゴを見たとき、頭の良い人は、「リンゴだ」→「青森の名産品」「ニュートンの万有引力の法則」「アダムとイブに悪いヘビが食べさせた果物」というように、思考が広がっていきます。

ところが頭の悪い人は、「リンゴだ」→「赤い」「おいしそう」あたりで止まってしまいます。

ちょっと極端かもしれませんが、これは「頭の良さ」の本質を突いているのではないかと思います。

頭の良い人は、たくさんの引き出しを持っているので、同じものを見ても、そこに**たくさんの「意味」を見つけることができます**。

普通の人が単に「大きな川だなあ」くらいにしか思わない場所でも、釣りの名人だったら、「あそこは絶好の穴場だな」と気づきます。

「$E = mc^2$」という相対性理論の数式を見ても、普通の人にはなんのことかわかりませんが、数学が得意な人は、そこに美しさを感じます。

その人自身がどれだけたくさんの引き出しを持っているか。そしてひとつの情報に接したとき、別の知識とつなげることで、そこに「意味」を見つけられるかどうか。それが、釣りの名人や数学ができる人と、そうでない人の違いです。

「引き出しの多さ（＝知識量）」と「つなげる力（＝推論力）」を鍛えるには、これまでは時間をかけてトレーニングを積まなければなりませんでした。

ところがＣｈａｔＧＰＴを使うことで、**この能力は誰でも簡単にコピーすることができるようになった**のです。

マイクロソフトＣＥＯのサティア・ナデラは、「生成ＡＩの本質は、自然言語と推論エンジンの組み合わせ」だと言っています。

自然言語とは、僕たちが普段使う言葉のことです。

推論エンジンとは、いまある知識から答えを導き出す仕組みのことです。たとえば「ＡイコールＢ」「ＢイコールＣ」と点をつないでいって、「だったらＡイコールＣだな」と推論する能力です。

要するに、ＣｈａｔＧＰＴは、僕たちが普段使っている言葉で質問すれば、インターネット上にある無数の引き出しから知識を探してきて、推論してくれる。

その結果、誰もがニュートンのような「引き出しの多さ（＝知識量）」と「つなげる力（＝推論力）」を手にできる。

これこそ、生成ＡＩがもたらした最大の革命だと思います。

マッキンゼー式「意味ある情報」の引き出し方

もうひとつ、頭の良い人の特徴は、**「自分ごと」に引きつけて考えられる**ことです。

たとえば道を歩いていて、スターバックスコーヒーに行列ができていたとします。

「コンビニでコーヒーを買えば１００円なのに、４５０円も払ってスタバのラテを買ってしまうのはどうして？」

↓

「自分へのご褒美？」

↓

「ということは、通勤途中に買えるプチ贅沢商品をつくったら売れるかも?」

このように、頭の良い人は、目の前の何気ない風景から、**自分にとって意味のある情報**を引き出すことができます。

マッキンゼーで使われている「空・雨・傘」というフレームワークがあります。

空:「空が曇ってきたなあ」↓単なる事象
雨:「雨が降るかも?」↓事象から導かれた推察
傘:「傘を持っていった方がいいですよ」↓意味のある情報

「空が曇っています」と言うだけなら、小さな子どもにもできます。そうではなくて、目の前の事象と天気についての知識を組み合わせ、「雨が降るかも」と予測し、「傘を持っていった方がいい」というメッセージを導き出して、初めて相手にとって有用な情報になります。

同じように「売上が下がっています」「市場が縮小しています」と言うだけなら、情報としての価値はありません。

あらゆる事象を分析した上で、「だから、○○という手を打つべきです」という意味ある情報（仮説）を導き出すからこそ、マッキンゼーのコンサルタントが作成するレポートには何千万円という価値がつくわけです。

「空が曇っています」から「傘を持っていった方がいい」という意味ある情報を引き出せるかどうか。

ＣｈａｔＧＰＴを使うことで、誰もがその力を身につけられます。その具体的な方法をご説明しましょう。

＞「ファクト↓抽象化」がこんなに簡単にできる

SHOWROOM社長の前田裕二さんは、尋常ではないメモ魔として有名です。前田さんは、記録のためにメモをするのでなく、**知的生産のためにメモをする**のだと言います。

そして、知的生産としてのメモ術のエッセンスは、**「ファクト↓抽象化↓転用」というフォーマット**だと、75万部超のベストセラーになった『メモの魔力』述べています。『メモの魔力』では、前田さんがどのように「抽象化」や「転用」を行っているかが、メモの実例とともに解説されていて、アイデア命のビジネスパーソンにとっては必読の一冊です。

頭が良くなる方法として、すっかり有名になった「ファクト↓抽象化↓転用」のフォーマットですが、ＣｈａｔＧＰＴを使うと、ショートカットで日々の思考に取り入ることができます。

たとえば、先述の「スターバックスに行列ができている」というファクトだったら、以下のように聞いてみましょう。

Q コンビニエンスストアで買うより高いのに、毎朝スターバックスでコーヒーを買ってしまいます。この理由を抽象化し、5個挙げてください。

すると、こんな感じで抽象化してくれます。

Ⓐ スターバックスでコーヒーを買う理由を抽象化して以下のように5つ挙げることができます：

1. **体験の価値**：スターバックスはコーヒーを買うだけでなく、居心地の良い雰囲気や高品質なサービスを提供しています。人々はコーヒーを購入するだけでなく、その場でくつろぎ、仕事をしたり友人との時間を楽しむことができることに価値を見出しています。

2. **ブランドの価値**：スターバックスは世界的に有名なブランドであり、そのブランド価値に対する認知度や信頼性があります。多くの人々はスターバックスのコーヒーを購入することで、そのブランドの象徴として自己表現を行っています。

3. **便利さと時間の節約**：コンビニエンスストアでコーヒーを買うよりも、スターバックスではより多くの選択肢やカスタマイズが可能です。また、店舗の配置やアクセスが便利な場所にあることも、スターバックスを選択する理由の一つです。

4. **品質と味の保証**：スターバックスは高品質なコーヒー豆を使用し、独自の焙煎法で豆を処理しています。そのため、多くの人々はスターバックスのコーヒーをコンビニエンスストアのものよりも味わい深く、満足度の高いものとして認識しています。

5. **社会的要因と社交性**：スターバックスは社交的な場所としても機能しており、多くの人々が友人や知人との集まりの場や、仕事をする場として利用しています。そのため、スターバックスでコーヒーを買うことは、社会的なつながりや交流を深める手段としても機能しています。

「抽象化↓転用する」もどんどんできる

これを転用し、自分の仕事に役立つヒントを得るためには、さらに質問を繰り返します。

Ⓠ この5つの抽象化の可能性を持つ、他の生活習慣を10個、理由とセットで挙げてください。

すると、「ジムやフィットネスクラブに通う」「美しい景色を眺める」といった習慣も、スタバに通うのと同じ理由を持つものとして挙がりました。

そうしたら、スタバとは直接関係のない、ジムやフィットネスクラブに通うこと、日常生活で美しい景色を眺めることにも、スタバのような付加価値をつけていくことはできないか、と、さらにアイデアを展開させていくことができます。

いまの自分の仕事に引きつけた転用もできます。

たとえば以下のように聞いてみましょう。

Q 私の仕事は、アパレル業界のマーケターです。5つの抽象化された理由を満たす企画を、10個挙げてください。

すると「AIスタイリングアプリの提供」「ファッションスピーキングイベントの開催」といった企画のアイデアが挙がりました。

このように、「スタバに行列ができている」という日常の何気ないファクトについて、マッキンゼー式の推論、前田式の抽象化を、ChatGPTが代わりにやってくれるわけです。

２０２３年10月には、ＣｈａｔＧＰＴの画像認識ツールがリリースされました。近い将来、「スタバに行列ができている」という現象をわざわざ文字で入力しなくとも、スマホで写真を撮るだけで、その人の仕事やライフスタイルに合わせて「意味ある情報」をＣｈａｔＧＰＴが考察してくれるようになるでしょう。

テキストだけでなく、画像や音声、動画など異なる種類のデータをまとめて処理できるＡＩを、マルチモーダルＡＩといいます。

マルチモーダルＡＩが普及すれば、たとえば冷蔵庫内の写真を撮ってアップするだけで、ＣｈａｔＧＰＴが画像認識し、晩御飯のメニューを提案してくれるようになります。

「つまり？」と「たとえば？」を繰り返す

抽象化とは、**一言でいえば「つまり？」**です。

物事をまとめたり、ほかの分野に応用したりするためには、この抽象化が役に立ちます。

たとえば、「後輩に送別会のお店選びを頼んだら、居酒屋でなくレストランになった」「いつも行くコンビニのサワー・酎ハイの棚が、ノンアルの棚に変わってい た」等、あなたが体験した個別の出来事を「つまり?」と考えてみると、「若者のアルコール離れが進んでいるのかもしれない」という抽象化ができます。

そこからは、「じゃあ、乾杯用のノンアル飲料を発売したら売れるかもしれない」というアイデアが思い浮かぶかもしれません。

一方、「若者のアルコール離れが進んでいる」とだけいわれても、いまいちイメージしづらかったり、「本当かな?」と疑ったりするかもしれません。

そんなときは、具体化が役に立ちます。

具体化とは、**一言でいえば「たとえば?」**です。

若者のアルコール消費について、「たとえば?」を探したら、酒類の消費量の統計や、若者のライフスタイルを紹介した記事・本などに気づくでしょう。
それによって、抽象的に「若者のアルコール離れ」とだけいわれている事象を検証し、理解を深めることができます。

このように、思考を深めるには、「つまり？」と「たとえば？」、すなわち**抽象化と具体化を行ったり来たりするプロセス**が大切なのです。

悩む前にサッサとChatGPTに聞いてみる

……ということは、マッキンゼーや前田さんだけでなく、これまでもいろいろな人が、「頭の良さ」や「思考法」についての本のなかで述べてきました。
ですが、その重要性についてはわかっていても、実際に自分で考えてみようとすると、なかなか難しく、苦手意識を持っている人が多いのではないでしょうか。

こんなときこそ、ChatGPTの出番です。

「面倒くさいな」と思ったり、うまく考えられなくてモヤモヤしたりしたら、サッサとChatGPTに聞いてしまいましょう。

具体化を促すための質問としては、たとえば以下のようなものがあります。

・この問題に直面した具体的な状況は何ですか？
・似たような事例で成功した具体的な方法はありますか？
・このアイデアを実現するために必要な具体的なステップは何ですか？
・この問題を解決した際の具体的な成果として何が期待できますか？
・この計画における具体的なリスクは何ですか？

抽象化を促す質問としては、たとえば以下のようなものがあります。

・この問題の根本的な原因は何だと考えますか？
・この状況を一般化するとどういう傾向になりますか？
・この具体的な事例から学べる普遍的な教訓は何ですか？
・この問題はより大きなどのようなテーマに関連していますか？

・このアイデアを異なる文脈で適用するにはどうすればよいですか？

思考を深めるには、まず具体的な質問で状況を明確にし、それから抽象的な質問を用いて視野を広げ仮説をつくっていく、「具体↓抽象」の順番がおすすめです。これに（「具体↓抽象」をコンパクトに考える手法をアブダクションと言います。これについては第8章でもお話しします）

ただ、こうした問いをいちいち暗記する必要はありません。ここでも基本は「まずはざっくり」で、最初は「具体的にしてください」「抽象化してください」と聞いてみるだけで大丈夫です。

それによって問題を小分けにし、問いを追加して絞り込み、回答の精度を高めていくのは、第1章で説明したとおりです。

問題解決のキモは問題を特定すること

問題解決もChatGPTが得意とするところです。

問題解決のキモは、**「何が問題か?」を特定すること**です。問題が特定できれば、**問題解決のプロセスは9割以上クリア**できたといっても、過言ではありません。

何が問題かを特定するには、ChatGPTに以下のように聞いてみればいいでしょう。

Q
○○について、考えられる原因を10個挙げてください。

出てきた回答がちょっと違うなと思えば、再生成ボタンを押すだけで、何度でもパターンを変えて分解してくれます。

もし「これが近いかな?」というものが出てきたら、「この原因について、分解してみてください」といえば、さらに深掘りしてくれます。

任天堂のゲームクリエイターで代表取締役社長だった岩田聡さんは、「問題解決とはひとつひとつの解決が自走するまで小分けにすること」と言っています。

コンサルタントがやっている問題解決も、基本的には、これと同じです。

「会社の業績が低迷している」という問題に対して、原因は売上にあるのか、コストにあるのか、コストだとしたら、どの事業部で何にかかっているコストに問題があるのか、ひたすら小分けにして、問題のありかを突き止める。

前出のステップ3でも述べたように、**小分けに分解することは、ＣｈａｔＧＰＴが得意とするところ**です。

最初から解決しようとする必要はありません。「これだったら、ちょっと糸がほどけるかな？」というところまで小分けにできれば、問題はおのずと解決に向かい始めます。

課題のセンターピンを見つける

ビジネスで大切なのは、**課題のセンターピン**を見つけることです。

センターピンとは、ボウリングで先頭に立っているピンのことです。ストライクを狙おうとしたら、ここにボールを当てることに集中します。このピンさえ倒せれば、ほかのピンは自動的に倒れるからです。

ひとつひとつの問題を個別に解決するのはモグラ叩きのようなもので、時間と労力が消耗するばかりです。

しかし現実のビジネスでは、あまりにたくさんの課題があるので、どれがセンターピンか、なかなかわかりません。こんなときにもＣｈａｔＧＰＴが役立ちます。

たとえば以下のような3段階で聞いてみましょう。

［第1段階］
私の仕事は○○です。
ここ数年、会社の業績が低迷しています。
「業績を回復させる」という大きな課題を、より小さい、解決可能な○個の課題に分解し、番号を振ってください。
↓
［第2段階］
それぞれの課題について、具体的な解決策を○個挙げて、番号を振ってください。
↓

［第3段階］

上記の解決策のなかで、ひとつの解決策で複数の課題が解決する可能性のあるものはどれでしょうか。解決策と課題の番号をセットにして説明してください。

このように尋ねると、**ひとつのボールでたくさんのピンが倒れる解決策**を答えてくれます。

この3段階はあくまで基本形です。

深掘りしたい課題が見つかったら、それをさらに小分けし、解決策を聞くときに、「ひとつ実行するだけで他の複数の課題も解決できる有効な解決策を、優先順位をつけて挙げてください」というように、2段階目、3段階目から入ることもできます。

名経営者に仮想ディスカッションをしてもらう

第1章で、ＣｈａｔＧＰＴは、壁打ちの格好の相手になると述べました。

このことについて、ChatGPT自身に解説してもらいましょう。

Q ChatGPTは思考の壁打ちに適していると言われます。その理由を箇条書きで簡潔に解説してください。

すると、次のような回答が来ます。

A ChatGPTが思考の壁打ちに適している理由を箇条書きで解説します。

1. **柔軟な応答能力**：ChatGPTは自然言語生成モデルであり、多様なトピックや質問に対して柔軟に応答できます。これにより、様々なアイデアや視点を提供し、思考の幅を広げる上で役立ちます。
2. **即座の反応**：ChatGPTはリアルタイムで対話を行うことができます。これにより、アイデアが浮かんだ時や課題に直面した時に、すぐに相談相手として利用することができます。
3. **無圧力な環境**：ChatGPTとの対話は無圧力の環境で行われるため、自由にアイデアを出し合うことができます。これは、創造性を高め、新しいアイデアを探求するための安全な空間を提供します。

4．**無制限のリソース**：ＣｈａｔＧＰＴは常に利用可能であり、24時間３６５日対話が可能です。これにより、思考の壁にぶつかった時にいつでも利用でき、新しいアイデアの発見や問題解決の支援を受けることができます。

5．**多様な情報源へのアクセス**：ＣｈａｔＧＰＴは幅広い知識を持ち、さまざまなトピックや分野に関する情報を提供できます。思考の壁にぶつかった際に、新しい視点や情報を得るためのリソースとして活用できます。

6．**自然な対話形式**：ＣｈａｔＧＰＴとの対話は自然な会話形式で行われるため、コミュニケーションがスムーズでストレスがありません。これにより、思考の流れを妨げずにアイデアを探求することができます。

7．**個別のカスタマイズ**：ＣｈａｔＧＰＴはユーザーの要求やニーズに応じてカスタマイズされることができます。これにより、個々のユーザーの思考プロセスや課題に適した支援を提供できます。

さらにバーチャルでディスカッションをしてもらうこともできます。

Q
「ミッション、ビジョンと哲学」というテーマについてディスカッションをします。ディスカッションのメンバーとしてふさわしい名経営者を5人挙げてください。

すると、以下のような経営者を簡単な説明とともに挙げてくれます。ピンとこなければ再生成ボタンを押して、何度でも回答してもらいましょう。

A
イーロン・マスク (Elon Musk)
マリッサ・メイヤー (Marissa Mayer)
ジェフ・ベゾス (Jeff Bezos)
インドラ・ヌーイ (Indra Nooyi)
ラリー・ペイジ (Larry Page)

さらに、次のように入力すると、それぞれの経営者が持つ可能性のある視点を押さえて、仮想のディスカッションを展開してくれます。

Q このテーマについて、この5人にディスカッションしてもらってください。

✓ ChatGPTの頭の使い方を聞いてみる

おすすめしたいのは、**思考プロセスそのものをChatGPTに聞く**ことです。

前出の「コンビニエンスストアで買うより高いのに、毎朝スターバックスでコーヒーを買ってしまう」理由の抽象化は、どのような思考のプロセスで行ったのかを聞いてみました。すると以下のような回答が来ました。

A

1. **一般化**：まず、具体的な状況を抽象化するために、与えられた問題を一般的なパターンや原則に当てはめる必要があります。この場合、コーヒーを買う行動は消費者の選択行動の一例です。そのため、消費者心理や選択行動の一般的な原則に焦点を当てることが重要です。

2. **共通の要素の発見**：次に、与えられた状況に共通する要素やパターンを見つけ出します。たとえば、価値観や価格感覚、ブランドの認知、または利便性などの要因が挙げられます。これらの要素を抽象化し、一般的な観点から考えます。

3. **一般的な言葉や概念の使用**：具体的な言葉や状況に依存せず、一般的な言葉や概念を使用して考えます。たとえば、価値、ブランド、体験、社会的関係など、広範な概念を使用して状況を抽象化します。

4. **分析と整理**：最後に、抽象化された概念を分析し、整理します。それぞれの要素がどのように関連し、影響を与えるかを理解します。これにより、与えられた状況をより深く理解し、一般的な原則やパターンに基づいた考察が可能となります。

これらのステップを経て、与えられた状況を抽象化し、一般的な原則や概念に基づいて理解することができます。

さらにChatGPTに最初に問いを入力する時点で、以下のように入力すると、「こんな切り口があるんだな」ということがわかります

Ⓠ 最高の出力を出すために足りない制約条件があれば、質問として聞いてください。

「ざっくり→じっくり」の5つのステップの4番目で、前提や制約条件を追加して、回答を絞り込んでいくのがいいと、お話ししました。

この前提や制約条件、すなわち、いい回答を導き出すために必要な情報・足りない情報は何なのかも、**自分で全部考えようとせず、ChatGPTに聞いてしまえばいい**わけです。

スターバックスでコーヒーを買う理由の抽象化に際し、最高の出力のために必要な質問を尋ねたところ、以下のような答えでした。

Ⓐ

1. 朝のコーヒーを購入する際に、なぜスターバックスを選ぶのですか？
2. スターバックスのコーヒーがコンビニで買うものよりも良いと感じる理由は何ですか？
3. スターバックスでコーヒーを購入することが、あなたの日常生活にどのような影響を与えていますか？
4. スターバックスでコーヒーを購入する際に、他の選択肢がある場合でもスターバックスを選ぶ理由は何ですか？

5．スターバックスのコーヒーを購入することが、あなたの社会的繋がりやアイデンティティにどのような影響を与えていますか？

このような壁打ちを繰り返すなかで、**面白い・役に立つ切り口があれば、それをストックしておく**といいでしょう。

上級テクニックとしては、僕・尾原は、「学者の理論を使って説明してください」というプロンプトを使うことがあります。僕の壁打ちでは、どうしてもビジネス業界の用語が多くなるので、違う視点を取り入れるのに役立っています。

これも、ＣｈａｔＧＰＴとのやりとりの中から見つけたものです。

学者の理論を使った説明の際にも、先ほどお話ししたように、ＣｈａｔＧＰＴはときどきウソをつくことがあります（ハルシネーション）。ですが、新しい切り口を探すためのヒントなので、回答が合理的であれば問題ありません。

回答を実際のアウトプットなどで利用するときは、正しい理論の内容をあらためて検索などで調べて使えばいいわけです。

大事なのは、論理的な引き出しを増やすことです。

ざっくりで常時稼働

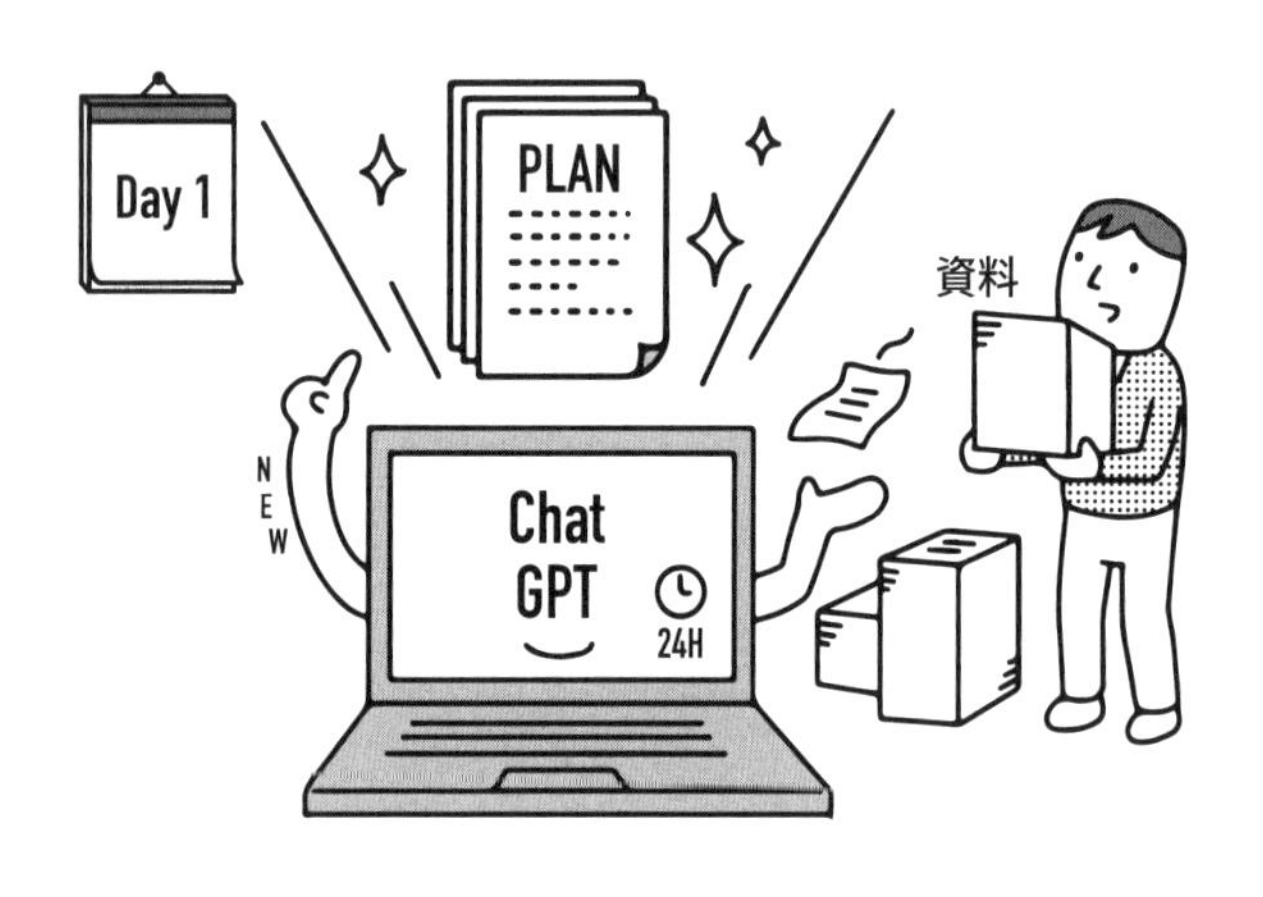

after

新しい課題だ。ChatGPT にざっくり投げてみよう！

叩き台があれば着手のハードルが下がる。
叩き台を相手に見せて擦り合わせもできる。

ざっくり常時稼働なので、締切だって怖くない！

成長の
ゲームチェンジ
2

締切前日に
アタマ真っ白

before

レポート、企画書、プレゼン資料 etc.
アイデアがまとまらなくて着手できない。
最初の一歩が一番気が重い。

マズい！　気づいたら締切は明日だ。アタマ真っ白……。

「経験」は コピーできる

「下積み10年」はもう意味がない

新しく会社に入ると、まずは下積みからスタートします。

会議の議事録をとったり、先輩社員に同行したりして、少しずつ仕事の進め方やお作法を学ぶ。何年かすると、リサーチや資料作成も一人でできるようになり、大事な仕事も任されるようになる。さらに知識や経験が増えると、係長、課長と昇進していく。

これまで日本の大企業では、こんなキャリアパスが一般的でした。

しかし、お話ししてきたように「80点までの仕事」をＡＩがやってくれるようになると、**下積みという考え方そのものが意味を持たなくなります**。

日本では伝統的に「仕事は見て覚えろ」という風潮がありました。会議で話し合われている内容がわからなくても、同席して聞いているうちに理解できるようになるという考え方です。

でも序章でお話ししたように、「Microsoft 365 Copilot」を使えば「今日の会議のポイントはこの3つです」「あなたがやるべきことは○○です」と自動的に教えてくれるようになります。

会議中に「いま部長が発言したこれ、どういう意味?」と聞けば、「○月○日の会議で話し合われた○○のことではないでしょうか。議事録でいうと、この発言部分です」と教えてくれる。わからなければ、「○○についてわかりやすく教えて」と質問すればいいだけです。

おそらく数年後には、わざわざ質問しなくとも、この発言はこういう意味ですよ」と、Vsion Proのようなウェアラブルデバイスで教えてくれるようになるのではないでしょうか。いわば、これまではコツコツ重ねてきた経験をChatGPTがコピーして、誰にでもわかるように分解して教えてくれるようになる。

こうなると、日本企業で大切だとされてきた「下積み10年」という考え方が、もはや意味を持たなくなっていきます。

職人の「目」や「技」も「見える化」で誰もが学べる

堀江貴文さんが以前、「寿司屋の修業に10年かける意味はない」と発言して、大きな議論を引き起こしました。

寿司屋に弟子入りしたからといって、すぐに握り方を教えてもらえるわけではありません。皿洗いや掃除の下積みから始まって、「飯炊き3年握り8年」といわれる修業を積んでいると、一人前になるまで10年はかかります。

でもいまは、寿司の握り方はYouTubeで公開されていますし、料理教室で習うこともできる。魚を捌くのが難しければ専門店にお願いすればいい。

「下積みイコール美徳」という思い込みで、時間を無駄にするのは意味がないというのが、堀江さんが言いたかったことでした。

インターネットによって、**経験やノウハウそのものは簡単にコピーできる**ようになっています。ChatGPTによって、この流れはさらに加速していくでしょう。

ＣｈａｔＧＰＴの拡張機能を使えば、動画からマニュアルを作成することだってできます。

これまで寿司屋の修業に10年かけていたのは、職人の「目」や「技」をコピーするためです。

魚の目利きやお客への目配り。魚を捌く技や寿司を握る技。どれも大切なことですが、いまは、ＣｈａｔＧＰＴや動画を使えば、その多くは「見える化」でき、誰もが学べるものになっています。

そういう「80点までの仕事」はサクサク身につけて、そこから先の、ノウハウ化しにくい、**本当に大事なところにだけ時間をかける**方がずっといいはずです。

僕・伊藤の友人で武蔵野ＥＭＣ教員の岩佐大輝さんは、イチゴスイーツ専門店「いちびこ」などを展開しています。

彼が東日本大震災後、ＧＲＡという会社を立ち上げ、最初にやったことは、それまで職人の技だったイチゴ栽培のノウハウを数値化することでした。

その結果、高品質で甘いイチゴをたくさん生産できるようになったのです。

コピーできるからといって、経験によって培われてきたものに意味がなくなるのではありません。

コピーできるところは取り入れる。自動化できるところはロボットやＡＩに任せる。それは、先人が磨いてきてくれた技を最大限に生かし、これからも継承していくことにつながります。

その上で、さらに良いものをつくれるように、新たな経験を積むことにお金や労力を使い、それをシェアしていく方が、みんながハッピーになれるのではないでしょうか。

「アリバイのための仕事」が生産性を引き下げている

「寿司屋の修業に10年かける意味はない」と堀江さんは言いましたが、最も意味がないのは、会社での下積み10年かもしれません。

実力主義で、どんどん成長できる会社も最近は増えてきましたが、わけのわからないお作法のような仕事ばかり覚えさせられる会社はまだ生き残っており、要注意です。

たとえば、上司のハンコの隣に押印するときに、お辞儀をしているように傾けて押す、お辞儀ハンコ。

なんの機密性もない情報なのに、単に社内ルールだからというだけの理由で、わざわざＺＩＰ形式にファイルを圧縮して、パスワードつきで送るメール。

「ご挨拶」という名目で、やたら大勢で連れ立って押しかけ、実は目的がよくわからない商談。

読めばわかる報告をダラダラ読み上げるのを一方的に聞くだけで、意思決定に向けた議論は行われず、しかも最初から最後まで一言も発言しない参加者ばかりの会議。

これらはすべて、「**アリバイのための仕事**」です。

価値を出すことではなく、その場にいることが目的になってしまっているのです。

デヴィッド・グレーバーというアメリカの人類学者は『ブルシット・ジョブ――クソどうでもいい仕事の理論』という本を書きました。

日本の会社には、まさにブルシット・ジョブが多すぎます。何のためにやっているのか、もはや誰も説明できません。

日本の時間当たり労働生産性はOECD加盟38カ国中30位（2022年）。下から数えた方が早いという生産性の低さです。

こうしたお作法のような意味のない仕事が、**日本の生産性を引き下げる大きな要因**になっているのは、間違いありません。

しかし、逆から見たら、このような現状は、若い人たちにとって有利なこと、この上ありません。

ライバルとなるのは、茶道ならぬ「ハンコ道」や「ご挨拶道」をトレーニングされてきた先輩たち。

贅肉ばかり溜め込んでいたランナーの中に、スリムな身体で乗り込むようなものなので、のびのびと楽勝で成果を上げていくことができるでしょう。

憧れのリーダーが自分のためだけにアドバイスしてくれる

では、ＣｈａｔＧＰＴを使って「経験」をコピーするには、どうしたらいいのでしょうか。

やり方は後述しますが、ＣｈａｔＧＰＴを使えばYouTube動画を要約できるので、それらを集めて、いろいろなマニュアルを作成することもできます。

しかし、もっと簡単でお金もかからない方法としておすすめしたいのは、ＣｈａｔＧＰＴを使って、**憧れのリーダーの「経験」をコピーしてみる**ことです。

僕・伊藤はよく「孫正義さんだったら、こんなとき、どうやって意思決定するだろう」「キング・カズだったら、どう振る舞うだろう」と脳内で妄想しています。

以前に勤めていた会社で事業再編に取り組んでいたときは、元ミスミグループ本社社長の三枝匡さんが書いた『V字回復の経営』を繰り返し読み、「三枝さんだったら、どう意思決定するか」を、いつも考えていました。

憧れのリーダーから学ぶには、インタビュー記事や書籍を読んだり、話を聞きにいったりすることが役立ちます。

さらにＣｈａｔＧＰＴを使うと、インターネット上のさまざまな情報を編集して、自分専用にアレンジして教えてくれます。

Q

孫正義さんの著書の要約を探してきて、それを簡潔にまとめてください。そのまとめから孫正義さんのキャラクターを想定して、10個のアドバイスをください。

ＣｈａｔＧＰＴは、孫正義さんがどのような人物か、過去にどのような発言をしてきたかなど、インターネット上に蓄積されたニュースや取材記事、書籍の要約から情報を集めて、何通りものアドバイスを提供してくれます。

そこに、「自分は○○メーカーの○○事業部のプロジェクトリーダーです。○○ビジネスの赤字改善を求められています」といった設定を加えていけば、自分用にカスタマイズされた、孫正義さんのアドバイスを受けられるわけです。

幻冬舎の編集者、箕輪厚介さんは、本づくりなどの際に、よく**「完コピ」をする**といいます。

面白い人や尊敬する人について、その人になりきってインタビューに答えたり、本を書いたりできるぐらいになるまで、その人の書いたものを全部読み込んで暗記する。

そうすると、本には書かれていないことについても、その人だったらどう考えるか、だんだん思考パターンがわかってくるそうです。

人間の思考は、言葉でできているので、その人の発した言葉を完コピすることで、**その人の思考や経験をトレースすることができる**のです。

ChatGPTは、本を全部読み込んで暗記するプロセスをショートカットして、その人の経験を完コピさせてくれます。

100%見えて、日常が気づきの宝庫に

after

後悔も不安も悩みもChatGPTに吐き出したから頭スッキリ。

目の前のものが100%見える！

あの行列は何？　あの広告は？
○○を持ってる人が増えたな etc.
日常は「気づき」の宝庫だ！

成長の
ゲームチェンジ
3

30%しか見えていない

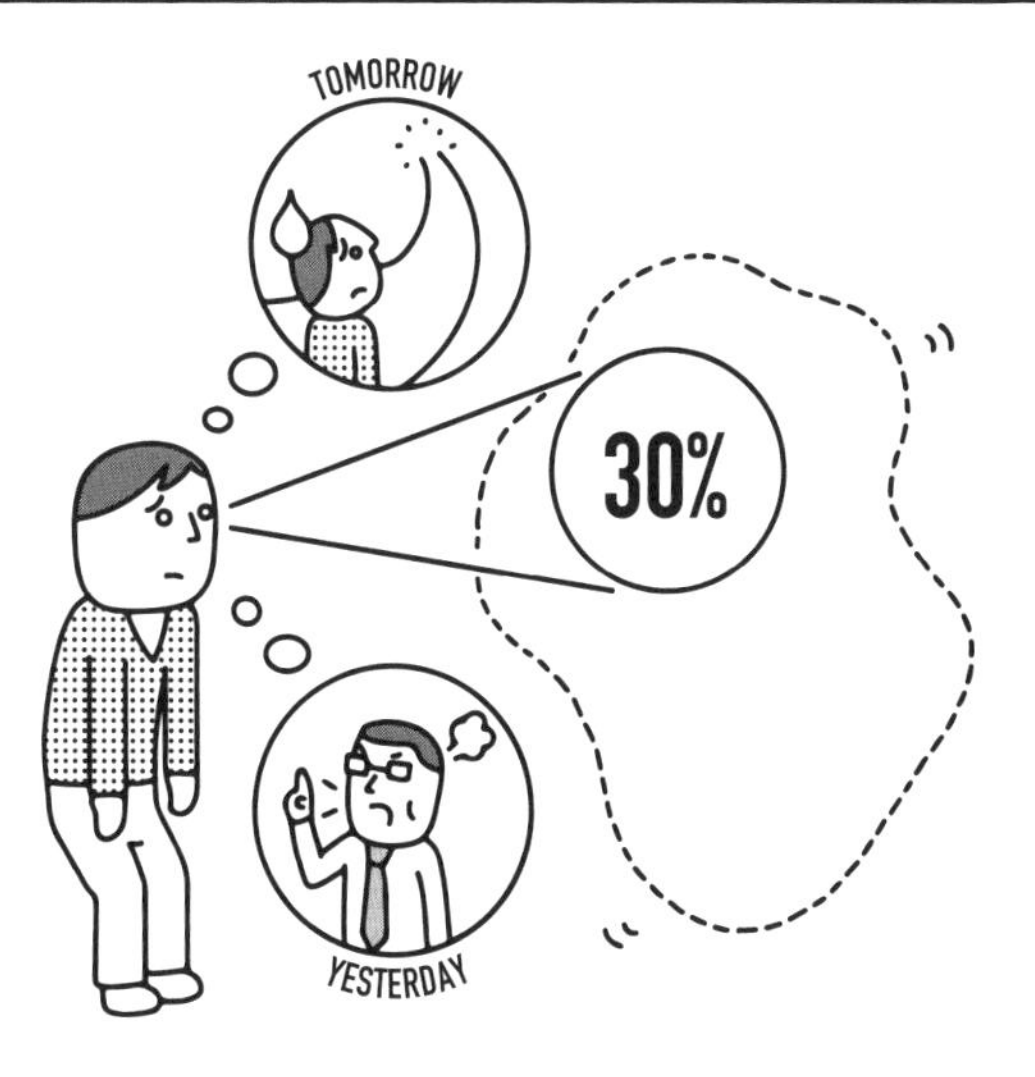

before

昨日、あんなことしちゃったよ……。
次のミーティングでまた怒られるのかな……。

過去の後悔と将来への不安で、いま目の前にあるものが
30%しか見えていない。

「センス」は コピーできる

1曲を30秒でつくれて、アレンジも何千パターン

生成ＡＩを使うと、３分の曲を30秒でつくれるようになります。しかも１００通りでも１０００通りでもアレンジして、さまざまなパターンでつくってくれます。中国のストリーミング大手がリリースしたＡＩボーカルによる新曲「Today」は１億ストリーミングを突破して話題になりました。

もちろん生成ＡＩはまったくのゼロからメロディを生み出すわけではなく、過去の楽曲からさまざまなパターンを学習し、それをもとに新たなメロディを生成します。ただ、そもそも音楽というのは、過去の楽曲やコードを少しずつ変えながら進化してきたわけですから、ある意味では、人間のやっていることをＡＩが代替しているだけともいえます。

３分の曲を30秒でつくれるようになる。何百パターン、何千パターンでも簡単にアレンジできて、しかも人間が頑張ってもなかなかたどりつけない１億ストリーミ

ングを軽々と超えてしまう。

このような現象が起きているのは、音楽の世界だけではありません。

２０２２年8月、米国コロラド州で開催されたアートコンテストでは、画像生成ＡＩ「Midjourney」を使って制作された作品が最優秀賞を受賞しました。

ハリウッドでは、生成ＡＩを使った脚本への規制を求めて、脚本家がストライキを起こしました。

ＡＩが脚本を書いた映画はすでに登場しています。

「自分たちの仕事が奪われてしまう」とプロの脚本家が危機感を持つほど、完成度は高くなっています。

これまで、アートの領域は、最後までコンピュータに代替されないはずだと考えられていました。センスはコピーできないと思われていたからです。

でも、音楽や絵画、演劇での生成ＡＩの「活躍」を見れば、そんな常識は過去のものだということがわかります。
生成ＡＩを使うことで、**「センス」もコピーできるようになった**のです。

センスとは「圧縮体験」

センスが良い人というのは、審美眼が優れています。では、その審美眼はどのように鍛えられるのでしょうか。

茶道のお点前では、亭主が使う茶碗や掛け軸を見るうちに「本物とは何か」ということを学びます。長い時間をかけて、亭主や師匠の審美眼をコピーしていくわけです。

美術品を鑑定するキュレーターは、何百点、何千点もの美術品を見る中で、真贋を見極める目利き力を養います。

つまり、**センスとは「圧縮体験」**だといえます。

「これはいいよね」「これはいまひとつ」という判断を気が遠くなるほどたくさん

重ねていく中で、審美眼が磨かれ、センスが培われていきます。

生成ＡＩを使えば、このプロセスを高速化することができます。

この10年間、インスタグラムによって僕たちの写真のセンスは圧倒的に向上しました。

日々の隙間時間を充てるだけで、１日に何百枚という単位の、センスのいい写真を浴びるように見ることができます。

カフェの写真ひとつ撮るときも、ハッシュタグで検索して、どうやって撮れば美味しそうに見えるのか、もっと「映える」のか、あれこれ研究して試してみることができます。

このプロセスを高速回転で繰り返す圧縮体験によって、誰でも簡単に写真のセンスが上がっていくわけです。

同じように、TikTokによって、この数年間で動画のセンスは驚くほど上がりました。

面白いショート動画を大量に見て、自分でも試してみる中で、プロ顔負けの動画センスを身につけられるようになったのです。

ではChatGPTは何をもたらすのでしょうか。

それは**「アイデア」のセンス向上**です。

ChatGPTを使うことで、**アイデアの「叩き台」づくり**は、圧倒的に簡単かつスピーディになりました。

誰でもアイデアの100本ノックどころか、1000本ノック、1万本ノックだってできるようになります。

SSRはガチャを引き続けさえすれば出せる

たとえば本のカバーをデザインするときは、装丁デザイナーに依頼し、何パターンかデザイン案を作成してもらうのが一般的です。

編集者や著者がそれを検討し、「A案かC案がイメージに近いんじゃないか」などと選びます。

そして「A案をベースに、何色かパターンをつくってほしい」とか「ここのフォントをもう少し目立たせてほしい」などと調整しながら、最終的にカバーデザインが決まるわけです。

ところが「Stable Diffusion」や「Midjourney」などの画像生成AIは、デザイン案を100パターンでも200パターンでも、あっという間につくってくれます。「出してくれた100案のうち、構図は58番目、背景は96番目がいいんじゃない?」となったら、それを組み合わせた案をさらに100パターンつくってもらい、そこから磨き込んでいく。そのようなやり方も簡単にできます。

叩き台を速くたくさんつくれることのメリットは、**多方面からアイデアがもらえる**ということです。

デザイナーに依頼する前に、商品のコンセプトや内容を関係者で共有して、アイデアをもらおうとしても、いい意見はなかなか出てきません。

でも、叩き台をつくってしまえば、「いや、ここはもう少し硬いイメージだったんだよね」等、早めにズレを解消することができます。
「このビジュアルなら、この音楽がイメージと合うので、セットにして販促してもいいかも」等の、新しいアイデアをもらうこともできます。

こうなると、無難なアイデアを4～5案出しておくというようなやり方では、生き残りが難しくなります。

それよりも、ひとつひとつの案は不完全だったとしても、とにかく1000個のアイデアをスピーディに出す方がいい。

その上で、「この背景色は、緑より青かなあ」「いやいや、いっそ全部モノクロにしても面白いかもしれませんよ」などと、クライアントと一緒に磨き上げていく方が、いいものができる確率が高いはずです。

ガチャでSSR（スーパー・スペシャル・レア）を出す方法はひとつしかありません。**SSRが出るまで何回でも引き続ける**ことです。

これから生き残れるのは、信じられないほどたくさんガチャを引き続けられる人です。

落合陽一さんは、そのようにSSRが出るまでガチャを引き続けることこそが、ChatGPTの賢い使い方だと言っています。

「天才とは1パーセントのひらめきと99パーセントの努力である」と言ったのはエジソンです。

努力をするとは、**経験を積むこと、場数を踏むこと**でもあります。

昔から天才と呼ばれる人たちは、試行錯誤の場数を踏む、すなわち圧倒的にたくさんのアイデアを出しては検証するプロセスを回していたはずです。

PDCAから、最初に実行ありきのDCPAへ

こうした開発手法は、インターネット業界ではすでに一般的です。

ゲームやソフトウェアを開発するとき、ベータ版と呼ばれる半完成品を市場に投入してみる。すると実際に使ってみたユーザーから、「もっとこんな機能がほしい」「ここが使いにくい」というフィードバックが集まる。

それを反映しながら完成品に近づけていく手法です。

自社だけで100点のものを開発しようとせず、あえて80点の状態で市場に出して、ユーザーと一緒に、100点、120点のレベルに磨き込んでいく。いわば「共創」のプロセスです。

今後は、ゲームやソフトウェアに限らず、あらゆる分野で、こうした開発手法があたりまえになっていくでしょう。ChatGPTが100通り、1000通りの叩き台をあっという間につくってくれるからです。

これまでビジネスの世界では、Plan（計画）→Do（実行）→Check（評価）→Action（改善）というPDCAの検証プロセスがよしとされてきました。

しかしこれからはDCPAの時代、すなわち、机上の計画に時間をかけるのではなく、最初に実行し（Do）、ユーザーの反応をもとに評価し（Check）、そののちに計画を練って（Plan）、改善していく（Action）というプロセスが主流になっていくでしょう。

いろいろ**仮置きの状態で、まずは動かす、**うまくいかないところは**走らせながら軌道修正する**というプロセスです。

仮説検証のループを回すスピードの速さこそが、競争力に直結するからです。

生物は多産多死の生存戦略で進化してきた

これは生物の進化論にも当てはまります。

生物の生存戦略は、基本的に多産多死です。サケは一度に2000個から4000個の卵を産みますが、このうち成長して川に戻ってくるのは、たった4匹といわれます。

僕たち人間も、昔は衛生や栄養状態が悪く、成人する前に亡くなってしまう子どもが珍しくないこともあり、多産多死スタイルでした。

先進国を中心に、いまのような少産少死型が主流になったのは、この数十年のことです。

生物は、たくさん子どもをつくることで、生存確率を上げてきました。たくさんの子どもたちの中には、一定の確率でミュータント（突然変異）が生まれます。気候変動のような大きな環境変化があると、ミュータントが生き残り、次の時代に適応していきます。

ビジネスも同じで、これからは、100でも1000でもアイデアを出し、そこから**ミュータントのようなイノベーションを生み出した会社が生き残る**ことになるでしょう。

代表的な成功事例がTikTokです。

TikTokの親会社バイトダンスを創業した張一鳴は、最初からショート動画市場に狙いを定めたわけではありません。ニュースアプリやゲームアプリなど、さまざまなアプリを開発しては市場に送り出し、ユーザーの声を聞きながら検証していきました。

その結果、大ヒットとなったのがTikTokだったのです。

「いかに失敗を減らすか」という発想が無意味になる

アマゾンが成功したのはイノベーションを起こしたからだと多くの人が考えています。

でも本当の勝因は、**イノベーションではなく「イテレーション」(反復)**だったと創業者のジェフ・ベゾス自身が言っています。

「ネットで本を売る」というアイデアを考えたのは、ジェフ・ベゾスだけではありません。実際、当時は多くのネット書店が登場しました。

アマゾンが勝ち抜いたのは、細かな改善を信じられないほどたくさん反復したからです。

いち早く行動し、気が遠くなるほどたくさんのDCPAを繰り返した会社が勝つ。

こうなると「いかに失敗を減らすか」という発想は無意味になります。

大切なのはDCPAの数なので、むしろたくさん失敗した人の方が成功確率が高まります。

「あいつ、999回も失敗したらしいぜ」

「すげー！」

というように、**小さくすばやい失敗の数が多い人**こそ賞賛される社会になっていきます。

このときに必要なのは、**失敗を楽しむ力**です。

「また失敗しちゃったよー」と言いながら、何がいけなかったのか検証して、次の行動に移せるかどうか。

さらには、「失敗したけど、こんな学びを得ました」と周囲にシェアしてくれる人材が、評価されるようになります。

「私はこれを知っています」「僕は失敗したことがありません」などとドヤっている人よりも、DCPAを共有してくれる人の方が、はるかにみんなのためになり、付加価値を生んでくれます。

イノベーションは普通のものの「組み合わせ」から生まれる

イノベーションを生み出すために、ゼロから発想する必要はありません。

経済学者シュンペーターは「イノベーションとは新結合である」といっています。

誰もが見えているものを結びつけることで、思ってもいなかったようなアイデアが生まれます。


回転寿司のアイデアは、ベルトコンベアをヒントに生まれたそうです。

お寿司のカウンターと工場のベルトコンベア。

毎日の暮らしの中で、普通は結びつけないような物事を結びつけられる人ほど、あっと驚くようなイノベーションを生み出せる可能性が高いわけです。


孫正義さんは学生時代、単語帳を2冊使ってアイデアを発想していたそうです。

あらかじめ単語帳にいろいろな単語を書いておいて、2冊の単語帳を同時に開き、出てきた単語を組み合わせて、新しいアイデアを考えるというものです。

たとえば「時計」と「冷蔵庫」が出たら、「時計つき冷蔵庫」とか「冷却機能つき時計」とか、「これはいける」と思える組み合わせが出るまで考え続けるのです。

こうしたアイデア発想術も、ＣｈａｔＧＰＴが得意とするところです。

こんなふうに聞いてみましょう。

Q

「お寿司」と「ベルトコンベア」を組み合わせて「回転寿司」のように、普段は組み合わせないものを組み合わせた結果生まれるアイデアを10個出してください。

ほかにも、「レアな食材10個挙げてください」「ご飯に合う調味料も10個挙げてください」「両者を組み合わせて、新しいおにぎりの具を10個考えてください」など、いろいろなシチュエーションでの組み合わせを考えてもらうことができます。

もちろん「再生成」ボタンを押せば、何通りでも答えてくれますし、「アメリカ人の好みに合う組み合わせに修正してください」など、ひねりを加えてみても面白いでしょう。

ちなみに、新しい具のおにぎりについてのChatGPTの回答には、トンデモなものもありましたが、「トリュフ塩おにぎり」「鰹節とアルマスキャビアおにぎり」など、高級で美味しそうなものがいくつもありました。

またアメリカ人好みのおにぎりとして挙げられた、「納豆とテリヤキビーフおにぎり」なども、商品化したらヒットするのではないでしょうか。

アナロジー力もこんなに簡単にものにできる

アイデアのセンスがあるビジネスパーソンは、**アナロジー（類推）力**が優れています。

アナロジーとは、**一見なんの関係もなさそうなものの間に共通項を見出す力**です。「牛丼とかけて海と解く。その心は、両方『なみ』があります」という謎かけ遊びがありますが、これもアナロジーです。

このアナロジー力を鍛えることで、新しいアイデアの創出につながります。

こうした発想のプロセスも、ＣｈａｔＧＰＴを使うと簡単にできます。

Ⓠ「成功と失敗は、○○という意味で一緒」だという文章があります。○○に入る可能性のある文章を5個、理由とセットで考えてください。

Ⓠ「自由と束縛は一緒である、なぜならば？」という形式で、2つの対義語を並べて抽象化すると気づきがありそうな組み合わせを10個考えてください。

アナロジー力を鍛えることは、新しいビジネスモデルを考えるときにも役立ちます。

慶應義塾大学の琴坂将広先生から伺った話です。「サッポロ一番」や「カップヌードル」が生まれたのは高度成長期です。それは日本中に高速道路ができ、同時にテレビの普及率が上がったことと関係しているのだそうです。

いいものをつくってテレビＣＭに投資すれば、みんながほしがる。大量生産した商品を、高速道路に乗せて、全国津々浦々まで行き渡らせる。その結果、全国的なヒット商品が生まれる。

こうした手法が、小売業の勝ちパターンになりました。

インターネット業界で起きたのは、これと同じことです。インターネットという新しい「高速道路」ができて、SNSという情報網が生まれました。

「高度成長期に物流網と情報網ができた。これと同じ現象がいま起こっている」

このことに気づければ、高度成長時代と同じように、物流網をおさえて、大量に広告を打つのが勝ちパターンではないかという仮説が生まれます。

コンビニや日本郵便と組んで物流ネットワークをつくり、大量に広告を投下したメルカリなどは、その成功事例でしょう。

クリエイティブ経済の時代は個人の方が有利

2014年に「雇用の未来」という論文の中で、AIやロボットに代替される仕事を予測して話題になったオックスフォード大学のマイケル・オズボーンは、ＡＩの普及によって、**クリエイティブ経済が到来する**と予測しています。

クリエイティブ経済とは、これまで消費者だった人が、同時にクリエイター（つくり手側）にも回るような**双方向型の経済圏**のことです。YouTuber の台頭を見れば、この予測が当たっていたことがわかります。

クリエイティブ経済は、ＣｈａｔＧＰＴによって、さらに拡大していくでしょう。たとえば町のケーキ屋さんが、「子どもがほしがりそうな誕生日ケーキのアイデアをください」と質問したら、ＣｈａｔＧＰＴはいくつでもアイデアを出してくれます。

「もう少し材料を減らして」「もっと簡単なつくり方で」などと制約条件を加えたり、「夏らしいフルーツを使ったもので」とリクエストしたりすることもできます。

ハンドメイド技術を持った人が、ＣｈａｔＧＰＴにデザインのアイデアをもらって、つくったものをメルカリで販売する。

廃墟マニアの人が、書籍の構成と文章をＣｈａｔＧＰＴに作成してもらい、自分の撮り溜めた廃墟写真をつけてAmazonで自費出版して収益化する。

「こんなものをつくってみたい」というインスピレーションさえあれば、イメージに近いものは、生成ＡＩがつくってくれます。

これまで最大公約数のマーケティングが正解とされていたのは、ケーキでも洋服でも、ある程度以上のロットでつくる方が効率的だったからです。

今後は、多額の開発予算や企画部門を持っていなくても、カスタマイズが得意で、フットワーク軽く動ける個人や中小企業が有利になります。

優れたハンドメイド技術などがあって世界観をつくりこめる人、いわゆる「オタク」のようにひとつのテーマをとことん掘り下げている人等々。

熱狂的なファンコミュニティを持つ個人や商店を中心に、クリエイティブ経済は拡大していきます。

DCPAで
120点のクリエイティブ

after

生成AIを使えば、ひな形やパターンがいくらでもつくれる（Do）

多産多死戦略。SSR（スーパー・スペシャル・レア）が出るまでガチャを回せばいい（Check）

思い切り意外な組み合わせに心が動き、プランが進化（Plan）

クリエイティブな120点を出せる！（Action）

成長の
ゲームチェンジ
4

PDCAで
80点の合格点

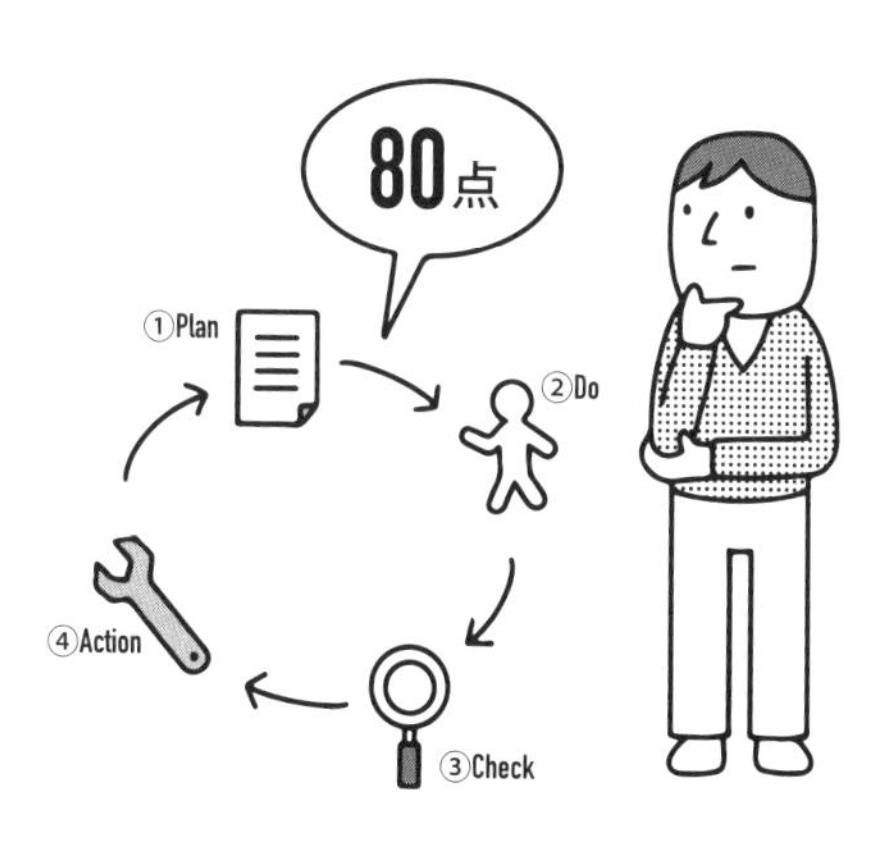

before

Plan（計画）→ Do（実行）→ Check（評価）→ Action（改善）

一度に試せる数が少ない。サイクルを回すのに時間がかかる。

一発必中志向になる。チャレンジを避け、
「80点の合格点」に寄せてしまう

ChatGPT時代の学び方

受験勉強は意味がなくなる

これまでは僕たちは、親や教師から「がんばって勉強して良い大学に入りなさい」「安定した仕事につきなさい」と言われて育ってきました。

けれども「安定した仕事」というものは、もはやなくなってしまいました。人生100年時代といわれるなかで、企業の平均寿命は最近の調査では23・1年と短くなってきており（東京商工リサーチ調べ）、ひとつの会社に入ったからといって、一生安泰でいられることはありません。

さらに、**受験勉強そのものも意味がなくなります**。

そもそも、なぜ受験というものが必要だったのでしょうか。

それは、これまでの学校には、リアルの「教室」が必要だったからです。

ひとつの教室に40人しか着席できなければ、それが定員になります。しかも教師が一人で講義をするスタイルなので、一度に教えられる人数にも限界があります。物理的なキャパシティの制約から、1学年の人数が決まり、それより志望者の数の方が上回ったら、入学試験でふるい落とさなければならない。

しかしオンラインで講義が受けられるようになると、リアルの教室はそもそも必要ありません。同じ講義を一度に数万人、数十万人が受講できるようになるので、入学試験でふるい落とす必要もありません。

これからの大学は、**希望した人は誰でも講義が受けられる**ようになっていきます。すでにハーバード大学やスタンフォード大学など世界の一流大学では、インターネット上で誰でも講義を受けられるMOOC（Massive Open Online Courses）を開講しています。

受験勉強という言葉は、10年後には、いまのような意味を持たなくなるはずです。

さらにChatGPTによって、**講義の難易度も自由にカスタマイズできる**ようになります。

講義を見て、ちょっとよくわからないなと思ったら、「いまの動画、ちょっと難しかったから、中学生にもわかるように説明してください」とＣｈａｔＧＰＴに頼めば、わかりやすく説明してくれます。

そうなれば、学校という場のあり方も、大きく変わっていきます。

自分が本当に学びたいときに学べる時代

自宅にいながら、誰もが世界最高水準の教育を受けられる。

生成ＡＩの台頭により、教育にかかるコストが劇的に下がるのは、とても大きな変化です。

そしてそれ以上に大切な変化は、「**誰もが本当に学びたいときに学ぶことができる**」ようになるということです。


学生時代、親や教師に「いま勉強しておかないと将来後悔するよ」などと言われたことは、ありませんでしたか。

当時はそう言われてもピンと来ず、勉強する気が起きなかったのに、社会に出てから「もっと勉強しておけばよかった」と思うことは、多々あるでしょう。

海外旅行に行って「英語を勉強しておけばよかったなあ」と思ったり、遺跡や文化遺産を見て「もっと歴史を勉強しておけば楽しめるのに」と思ったり。

それは「学ぶタイミングがやってきた」ということです。


僕たちは、喉が渇いていないときに水を飲みたいと思いません。どんなに評判が良くても、興味のない映画を見せられたら、つまらなくて途中で寝てしまいます。


人間が学びたいと思う最初のきっかけは、**「これ面白いな」「自分に必要かもしれない」という気づき**です。

その気づきをもとに、新しい知識をインプットする。理解した知識を実際に使ってみることで身につき、それまで持っていた知識とつながって、広がっていく。そんな順番です。

スピードも内容も自分用にカスタマイズして学ぶ

僕たちが第二言語を習得するとき、4つのプロセスをたどるという説があります。

1. 気づき（Noticed Input）
↓
2. 理解（Comprehended Input）
↓
3. 内在化（Intake）
↓
4. 統合（Integration）

第二言語は、この4段階を経て、初めて話せる（アウトプットできる）ようになります。

この理論に従うと、たとえば英語を勉強するとき、詰め込み型の暗記教育をしても、あまり意味はありません。

それよりも実際に英語を話す環境に身を置いて、「もっと話せたら意思疎通できるのに」という「気づき」を得ることで、身につきやすくなります。

ChatGPTを使うと、**4つのプロセスを回すスピードが圧倒的に速くなります。**

「まずは英会話をマスターしてから海外旅行」などと思わなくても、まずは行ってみて、テーブルについてからChatGPTのスマホアプリに質問すればいいからです。

Ⓠ レストランで料理を食べるときの英会話に使う表現を10個教えてください。

すると、注文や会計、味の感想など、おすすめの英語表現を教えてくれるので、試しに使ってみればいいわけです。

「〇〇（フレーズ）から会話をつなげてみてください」と入力すれば、英会話のフレーズを教えてくれますし、「表現の使い分けを教えてください」と聞くこともできます。

「これを学びたい」という「気づき」に合わせて、理解しやすいレベルに小分けして学べるので、学校英語スタイルの学習よりも、はるかに身につきやすいはずです。

なにより、「これを学びたい」という「気づき」から始まっているので、**より楽しく、スピーディに学ぶことができます**。

もちろん英会話など言語の習得に限った話ではありません。

ＣｈａｔＧＰＴを使いながら、「データサイエンスについて学んでみたいな」と思ったら、ハーバード大学やスタンフォード大学、マサチューセッツ工科大学などの講座を受けることもできます。

「データサイエンスを学びたいので、おすすめのＭＯＯＣを教えてください」とＣｈａｔＧＰＴに聞いてみれば、教えてくれます。

「学ぶタイミングがやってきた」ときに学ぶ。

学習のスピードも、自分に合わせてカスタマイズする。

自分の興味関心や習熟度に合わせたカリキュラムをつくる。

ＣｈａｔＧＰＴにサポートしてもらうことで、このような学びが実現します。実際、現時点でも、ＣｈａｔＧＰＴは、おすすめの学習法や教材を教えてくれますし、「小学2年生にでもわかるようにしてください」などと質問することで、わかるまで繰り返し学習することもできます。

「不安」と「退屈」の間で夢中になって「フロー」に入る

面白いゲームで遊んでいるとき、僕たちは夢中になって、時間が経つのも忘れてしまいます。スポーツに集中しているときや、やりたい仕事に打ち込んでいるときも同じです。

誰かに指図されなくても、自分がやりたいからやる。それ自体が面白くてたまらない。やっているうちに、自然にレベルアップしている。

これはいわゆる没入状態で、**「ゾーンに入る」「フロー」**などの言い方もします。

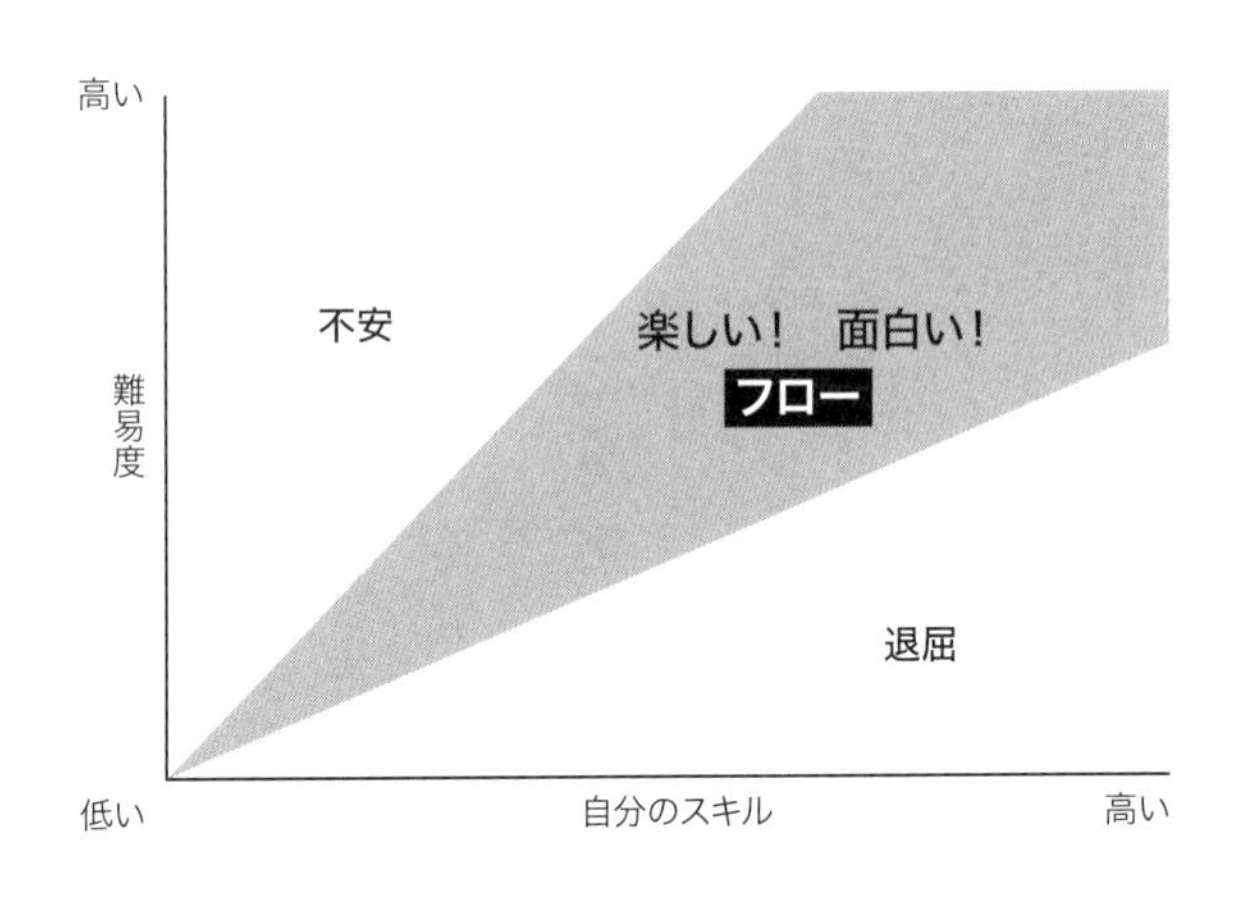

心理学者ミハイ・チクセントミハイは「フロー理論」を、上のような図で説明しています。

自分の能力に対して難易度が高すぎると、僕たちは「不安」を感じます。でも慣れてくると、今度は簡単すぎて「退屈」してしまいます。

そして**「不安」と「退屈」の間にある、ちょうどいい難易度**のとき、僕たちは夢中になって取り組みます。これがフローと呼ばれる状態です。

よくできているゲームは、この設計がとても上手です。

ドラクエは、スライムばかり倒していたら

飽きてしまいますが、もうちょっとだけ努力すればクリアできるミッションが次々に現れるので、いつも「不安」と「退屈」の間にあるゾーンの空間にいられる。

しかもミッションをクリアするたびに報酬がもらえて、レベルアップするにつれて新しい世界に進んでいけるので、楽しくて仕方ない。

前項でもお話ししたように、ChatGPTは、わからないときは「もっとわかりやすく教えて」と頼むだけで、その人に合った難易度に設定してくれます。

簡単すぎてつまらなくなってきたら、習熟度や興味に合わせて難易度を上げてくれますし、おすすめの勉強法や教材も教えてくれます。

この階段は段の高さが高すぎて上りにくいなと感じたら、上りやすい高さに調節してくれる。もうちょっとだけ頑張れば上れるレベルになったら、上るのが楽しくなります。

夢中で没頭して上っていると、どんどんレベルが上がり、その結果、いつの間にか**高くてとても上れないと思っていた階段の上にいます**。

そうやって、ChatGPTは、僕たちが「不安」と「退屈」の間で、いつでも夢中になってフロー状態に入れるようにしてくれるのです。

一橋大学大学院教授の楠木建さんは「**努力の娯楽化**」という表現をしています。これは一流と呼ばれる人に共通する行動様式です。新しいことを勉強したり、自分を成長させたりすることは、実はゲームと同じか、それ以上に楽しいことです。

ＣｈａｔＧＰＴがあれば、現実世界がゲームのように楽しく、ワクワクするものになっていきます。

「スキルがあれば食いっぱぐれない」という発想も無意味に

正解主義で育った僕たちは「このままではいけない」と感じると、「学校に通おう」「資格をとろう」と考えます。

「これからはＤＸが進むから、プログラミング言語を学ぼう」

「お店のサイトをつくりたいから、ＨＴＭＬを学ぼう」

こうやって足し算のようにスキルを身につければ、市場価値が上がり、食いっぱぐれない人材になれるはずだと考えるからです。

しかし今後、あらゆるものに生成ＡＩが埋め込まれるようになると**「スキルを学ぶ」という考え方そのものが薄れていく**でしょう。

これまでソフトウェアやシステム開発には、プログラミング言語が必要でした。でもいまや、英語や日本語でＣｈａｔＧＰＴにプロンプトを入力するだけで、ＡＩがソースコードを記述してくれる、いわゆる「ノーコード開発」「ローコード開発」が普及しつつあります。

米国では「ＡＩが最初に殺すのはＡＩスタートアップ」と半ば冗談で言われるほどです。ＡＩを動かすプログラムそのものもＡＩが代わりに書いてくれるからです。

サイトをつくるのも同じです。

以前は自前のサイトをつくるには、ＨＴＭＬやＣＳＳなどを使えるエンジニアが

コラム①

YouTube動画に、日本語の字幕をつける方法(PCの場合)

YouTubeの[設定]>[再生とパフォーマンス]>[自動生成された字幕を含める(提供されている場合)]をオンにします。

再生動画の[設定](歯車のアイコン)から、自動翻訳で「日本語」を選択します。

これで、多くの言語の動画を日本語の字幕つきで見ることができます(字幕機能が停止されている動画もあります)。

必要でした。ですが、いまは、WordPressという無料のCMS(コンテンツ管理システム)を使えば、初心者でも簡単にオリジナルのサイトがつくれます。

「食いっぱぐれない資格」としては、これまで法律や会計分野が人気でしたが、いずれもChatGPTによってかなりの部分が代替できるようになるだろうと予測されています。

こうなると「○○をするには、このスキルが必要」という考え方そのものが無意味になっていきます。

普段使っているのと同じ言葉で、「これをやりたいんだけど」というだけで、

コラム②

YouTube動画に、文字起こしを表示する方法

再生動画の下にある、動画の説明パートの「もっと見る」をクリック→説明文の下にある「文字起こしを表示」ボタンをクリックで、再生動画の右側に、文字起こしが表示されます。

ほとんどのことをAIが代わりにやってくれるようになるからです。

海外の情報を収集するときの「言語の壁」はなくなった

YouTubeなどの動画やSNSを通じて、いまや世界中の情報をリアルタイムで見ることができます。

たとえばYouTubeでは、字幕を自動生成できます。この機能を使うと、英語で話している動画に日本語の字幕をつけられます（方法はコラム①、②参照）。

また、ChatGPTを使って、英語の動画を日本語のテキストにし、さらに

コラム③

YouTubeの動画の内容を、日本語で要約する方法

僕・伊藤は、Google Chrome 拡張機能を使っています。

以下のタイトルで検索すると、Google の Chrome ウェブストアが表示されるので、そこから拡張機能を追加します。

・YoutubeDigest: ChatGPT でまとめる

・YouTube Summary with ChatGPT

たとえば「YoutubeDigest: ChatGPT でまとめる」の拡張機能を追加した場合、設定画面（Settings）で言語選択（Summary Language）から日本語を選択します。

設定を保存すると、YouTube の再生動画の右上に〔Summarize〕と表示されます。

日本語の表示形式は、〔Mode〕から好きなものを選択してください。

〔Mode〕はいろいろあり、望みのアウトプット形式にまとめてくれます。たとえば〔Article〕だと記事形式、〔Bullet Point〕だと箇条書きで要約してくれます。

仕様は時々アップデートされるので　気軽に「ざっくり」試して、気に入った形式を見つけることをオススメします。

要約部分をより詳しく知りたいと思ったら、タイムスタンプをクリックすると、該当部分の動画が表示されますので、視聴するといいでしょう。

それを要約することもできます(方法はコラム③参照)。これにより、情報収集の効率は飛躍的に上がります。

もちろん英語→日本語だけでなく、さまざまな言語で利用できます。こうしたツールを用いれば、もはや**言語の壁はなくなったも同然**です。

多くの海外メディアがYouTubeの公式チャンネルを開設してるので、チャンネル登録しておくと便利です。

僕・伊藤は、以下のチャンネルに登録しています。

◇BBCニュース(BBC News)

英国を中心としたヨーロッパ発のニュースが多く配信されています。

◇テレグラフ(The Telegraph)

1855年に創刊された英国「デイリー・テレグラフ」のオンライン版。ロシア・ウクライナ関連の最新ニュースが多く配信されています。

◇アルジャジーラ英語版（Al Jazeera English）

カタールに本社を置くテレビ局「アルジャジーラ」のオンライン版。中東関連の最新ニュースを見たいときにチェックします。

まずはChatGPTに要点をまとめてもらい、興味のあるところだけ倍速モードを使って視聴することで、情報収集の効率はさらにアップします。

より大切なのは、情報収集スピードが上がるだけでなく、**より多面的に物事を見られるようになる**ことです。

正直なところ、日本の地上波で国際ニュースを追うのは限界があります。

2023年6月にプリゴジンがモスクワへ進軍を開始した「ワグネルの反乱」を、日本の地上波はほとんど報じていませんでした。

でも、BBCニュースやテレグラフをチェックすることで、それぞれの国でどのように報じられているのか、リアルタイムで把握できました。

その後、2023年12月に起きた、イスラエルとハマスの戦争についても同様です。

YouTubeとAIで自分だけの大学院をつくろう

YouTubeの字幕機能やChatGPTを使ったChromeの拡張機能を利用すれば、海外ニュースだけではなく、海外の大学院やカンファレンスなど、さまざまな学びの場に、簡単にアクセスできます。

先にもお話ししたように、ハーバード大学やスタンフォード大学、東京大学など有名大学・大学院では、MOOCと呼ばれるオンライン講座を提供しています。受講料も無料あるいは手頃なものが多く、たとえばハーバード大学では、コンピュータサイエンスや量子力学、宗教や芸術など、多岐にわたるオンラインコースを無料で受講できます。

これまでハーバード大学やスタンフォード大学など海外の有名大学・大学院の講義を受けようと思えば、高い学費や滞在費を用意して、高倍率の入学試験を突破する必要がありました。

ところが、いまや自宅にいながら、誰でもインターネット上で受講できるようになっています。

しかも費用と並んで立ちはだかっていた、英語の高い壁も、ほとんどなくなりつつあります。

ハーバード大学やスタンフォード大学のオンライン講座を組み合わせれば、**自分だけの大学院**をつくることもできます。

自宅にいながらでも、仕事をしながらでも、やる気さえあれば、世界最高水準の学びの宝庫から、貪欲に好きなだけ吸収できるのです。

逆にいえば、**やる気があるか、ちょっとしたツールの使い方を知っているかという違いで、圧倒的な差が開いていく**ことになります。

代表的なMOOCを以下にご紹介します。ただ、これは一部に過ぎないので、ChatGPTにおすすめのMOOCを質問して、自分だけのカリキュラムをつくってみてください。

ここでも「まずはざっくり」で、おすすめのMOOCを質問した上で、興味のある分野について「具体的に10個教えてください」などと深掘りしていくのがいいでしょう。

◇Coursera（コーセラ）https://www.coursera.org/
スタンフォード大学の教授が設立した、オンライン教育のプラットフォーム。3000以上の世界の一流大学や一流企業が参加し、5800以上のコースを提供している。東京大学も参加。

◇edX（エデックス）https://www.edx.org/
ハーバード大学とマサチューセッツ工科大学が共同設立したオンライン教育のプラットフォーム。両大学のほか、260以上の大学や企業がコンテンツ・パートナーとして参加し、4500以上のコースが提供されている。東京大学・京都大学も参加。

◇Udacity（ユダシティ）https://www.udacity.com/
ＩＴ分野を中心に、各国の１００以上の企業が講座を提供する、オンライン教育のプラットフォーム

◇MIT OpenCourseWare（ＭＩＴオープンコースウェア）https://ocw.mit.edu/
マサチューセッツ工科大学が提供する、オンライン教育プログラム。

◇Khan Academy（カーンアカデミー）https://www.khanacademy.org/
教育者サルマン・カーン氏が設立した、小学生から高校生を対象にした、数学・物理化学・歴史・美術などのオンライン教育プログラム。日本版もある。

なおＴＥＤなどはYouTubeに公式チャンネルを持っているので、日本語の字幕を自動生成できますが、多くのＭＯＯＣは、現時点でYouTubeで公開されていないため、自動では字幕をつけられません。
音声文字起こしをした上で、「DeepL翻訳」などを使い日本語に翻訳する必要があります。

なお、英語の文字起こしには、Googleの音声文字変換アプリがきわめて優秀で、Google docsなどへの変換も簡単です。GoogleのスマートフォンGoogle Pixelほか、Androidのスマートフォンで利用可能です。

＊この章でご紹介した情報は2024年4月現在のものです。また、翻訳利用については、著作権法上で認められている、私的利用の範囲でお願いします。

それでも コピーできない ものがある

AIが最後まで持てないのは「飛ぶ力」

第2章で「頭の良さ」はコピーできるとお話ししました。

ただ正確には「99パーセントまでコピーできる」と言った方がいいかもしれません。

では、残る1パーセントは何でしょうか。

それは、**論理的思考力や合理性によって導き出された答えから「飛ぶ力」**です。

孫正義さんは、ソフトバンクグループが赤字を出しているときでも、どんどん設備投資やM&Aをしてきました。

こうした決断は、おそらく最後までAIにはできないはずです。

論理的に考えれば「赤字だから、投資はちょっと控えめにして、手元にあるキャッシュをなるべく増やそう。リスクを減らそう」という結論になるはずだからです。

孫さん自身も、当然それはわかっていたでしょう。

その上で「論理的に考えればそうかもしれないが、いま勝負に出なければ、千載一遇のチャンスを逃してしまう」という、勝負師の勘のようなものに従ったのだと思います。

一流のリーダーは、しばしばこのような非合理の決断をします。

論理的思考や合理性を積み重ねるだけでは、絶対に到達できない結論です。さぞかし部下も驚いたのではないでしょうか。

「AイコールB」「BイコールC」ときて、「そうか、じゃあAイコールCだな」と思っていたら、いきなり「AイコールZ」のような、予想もつかない結論に「飛んで」しまったのですから。

この「飛ぶ力」こそが、孫さんを超一流の経営者たらしめている要素だと思います。

スティーブ・ジョブズは「重要な決断は心や直感に従う」と言っています。これも同じ話です。

未来に正解はありません。それは自分自身でつくるものだからです。「**だって、やりたいからやるんだよ**」「**自分が好きだからやるんだよ**」と言えるかどうか。それが「飛ぶ」勇気になります。

論理的思考力だけでは意思決定できない

物事を決めるとき、それぞれの選択肢について、判断の材料になる項目ごとに○×をつけてみたことはないでしょうか。

カレーとラーメンで迷ったら、「値段」「カロリー」「栄養バランス」などの項目をつくって○×をつけた表をつくり（メリデメ表、プロコン表などとも呼びます）、○が多いほうを選ぶというものです。

カレーとラーメンなら、どちらを選んでもいいでしょう。

ですが、企業の経営陣でも、「○×表づくり＝意思決定」と思っている人は少なくありません。

これは大いなる勘違いです。

「新規市場に参入するべきかどうか」
「事業から撤退するかどうか」
「新工場をつくるならA市とB市、どちらがいいか」

これらを綿密に調査して、それぞれのメリットとデメリットを比較できるように一覧表にする。その表を見て、経営陣がメリットの○が多いものに決める。

これは、「意思決定」ではありません。

○×表は、チェックリストとしては役立ちますが、**意思決定ツールとして使うのは間違っています**。

そもそも項目の出し方によって、いくらでも○×は変わります。前提の置き方をひとつ変えるだけで、数字はいくらでも変わるからです。

では、なぜ○×表をつくるかといえば、**情報を整理するため**です。カレーの方が値段が高いことがわかれば、財布の残りを確認し、ラーメンの塩分が高いなと思えば、人間ドックの結果を思い出したりします。

それぞれのメリット・デメリットを踏まえた上で、「でも自分はラーメンが食べたいんだ！」という結論に「飛ぶ」のが意思決定です。

そして、今後、○×をつける作業はChatGPTがやってくれるようになります。

人間に残されているのは、意思決定という仕事だけです。

これも誤解している人が多いのですが、意思決定は論理的思考力だけでなんとかなるものではありません。

もし論理的に考えて100パーセント正しい選択肢があるとしたら、決断は不要です。提示された選択肢どおりに実行すればいいだけです。

そして、そもそも、ビジネスにおいて、論理的に100パーセント正しい選択肢というものは存在しません。

決断とは非合理なものです。

何もかも不確実な状況にあって決断し、覚悟を引き受ける。

選択肢を天秤にかけた上で、大勢の従業員や関係者の生活を背負って「飛ぶ」のがリーダーの仕事です。

ChatGPTに頼っているとバカになるのか

では、「飛ぶ力」はどこから生まれるのか。

それは結局、自分が「これをやりたい」と強く思うこと、**自分の内から湧き起こる声に従う**ということに尽きると思います。

孫さんが決断に踏み切れたのも、「だって、やりたいんだよ」という自身の思いに突き動かされたからではないでしょうか。

そして孫さんの部下や事業パートナーも、最後は「この人が言うなら、ついていく」と納得したのではないでしょうか。

「Microsoft 365 Copilot」のようなＡＩは、これまでの商談履歴や顧客データに基づいて、

「次回の商談では、こんな提案をしたらどうですか？」

「このクライアントは将来有望なので、○円までは値引きしてもいいです」

などとレコメンドしてくれるようになります。

過去の膨大なデータを分析して、パターンを予測するような仕事は、人間よりもＡＩがやるほうがよっぽど早い。

ＡＩがここまでしてくれたら、**自分で物事を考える力が失われてしまうのではないか**と危惧する人がいるかもしれません。

社会全体でも、ＣｈａｔＧＰＴのような生成ＡＩに頼っていたら、人間が自分でものを考えられなくなってバカになるのでよくないという警戒論は、決して少数派ではありません。

でも僕たちはそうは考えていません。

思考力が低下するのではなく、**求められる思考力の中身が変わっていく**のだと思います。

「AIはこう言っていますが、このお客さんは、こんな未来をつくりたいと思って一生懸命やっています。社長も信じられる人です。だから応援したいんです」

「このお客さんは絶対に成長すると思います。AIはここまでしか割引してはいけないと判断していますが、長期利用してもらうことを条件に、ここまで割引したいです」

これから僕たちに求められる意思決定は、こういうものです。

「とにかく自分はこれをやりたいんだ！」という思いに従う。

それが人間に残された仕事になっていきます。

でも「やりたいからやる」というのは、思った以上に難しいことです。

正解主義の中で生きてきた僕たちは、「やりたいこと」よりまず、「やるべきこと」を探してしまうからです。

インプットとアウトプットの繰り返しで「自分の軸」を見つける

「自分がやりたいからやる」

その思いを、僕・伊藤は「軸」と呼んでいます。

僕が学長を務めているLINEヤフーアカデミア（LINEヤフーグループの企業内大学）では、まず**「自分の軸」を見つける**ことを重視しています。

カリキュラムの中心にあるのは、対話です。二人一組になって、相手に伝えたり、質問したりする中で、自分の思いに気づいていく。そんな設計にしています。

ここで重視しているのは、以下のプロセスを通じて、自分を振り返ることです。

「こんなことがあった」（＝What）

「これは自分にとって、どんな意味があるのだろう?」(= So what?)
「そうか!」(= Aha!)

「こんなことがあった」
↓　今日、勉強会に参加した
「自分にとっての意味」
↓　人にわかりやすく伝えて、喜んでもらえると嬉しい
「そうか!」
↓　わかりやすく伝えることが自分は得意かも!

対話を重視しているのは、自分の内面を言葉にして、キャッチボールしながら思考を深めていくという作業は、自分一人ではやりにくいからです。

僕たちはインプットとアウトプットを繰り返すことで「気づき」を得ます。「勉強会に参加した」というインプットは、そのままにしておくと、「気づき」につながらないまま忘れられてしまいます。

「こんなことがあった」と誰かに話したり、文章に書いたりしてアウトプットすることで、「自分にとって、どんな意味があるのだろう?」と考えることになり、「気づき」につながります。

ほとんどの停滞・モヤモヤの原因はアウトプット不足

最近ちょっと停滞しているな、成長が止まっているなと、感じることはないでしょうか。

そんなときは、たいていこの**インプットとアウトプットのサイクル**がうまく回っていないはずです。

①インプットの量が足りない

仕事が忙しかったり、疲れていたりすると、どうしてもインプットの時間が十分にとれません。本を買っても積ん読になっているような状態です。

そもそも気持ちにゆとりがないので、新しいものを見ても、なかなか自分の中に入ってきません。

②アウトプットの量が足りない

インプットは十分にしているつもりなのに、どうも身についている感じがしない。そんなときは、実はアウトプットが足りていないということがあります。

僕たちはインプットした知識を、そのまま頭の中にしまうのではなく、アウトプットすることで初めて、自分の「気づき」に変えることができます。

インプットとアウトプットのサイクルがうまく回っていないとき、僕たちはついインプットの量を増やそうとしてしまいます。

でもほとんどの場合、**停滞はアウトプットの不足が原因で起こります**。大切なのは、インプットを増やすことではなく、まずアウトプットの量を意識することです。

LINEヤフーアカデミアでは、4人一組での対話形式でアウトプットをしてもらいますが、一人でやるなら、日記を書いたり、SNSなどで発信したりするのがおすすめです。

僕・伊藤は最近、Voicyのパーソナリティをしています。「今日はこんなことがあったよ」とリスナーの皆さんに向けて話すことが、アウトプットの機会になっています。

大切なのは、インプットとアウトプットの繰り返しを習慣にすることです。

ちなみに同じことをグルグル、モヤモヤ悩んでしまうときも、アウトプット不足を疑ってみた方がいいです。

友人や家族に悩みを聞いてもらうと、なぜかスッキリして、解決の糸口が見える。こんな経験のある人は多いと思います。

悩みを人に聞いてもらうことの最大の効用は、具体的なアドバイスを得られることではなく、**自分の考えが整理できる**ことです。

アウトプットすることで、自分が探していた言葉を見つけることができれば、おのずと問題は解決に向かい始めます。

ChatGPTを専属コーチにして「良い仮説」を探す

LINEヤフーアカデミアで行っている対話は、ChatGPTを相手に行うことができます。

ChatGPTに自分専属のコーチになってもらい、対話を通じて、自分の内面を言葉にしていくのです。

LINEヤフーアカデミアの対話は、毎回「今のコンディションはどうですか」という問いかけから始めます。

たとえば毎晩、ChatGPTにこんな問いかけをしてもらい、そこから対話を始めてみましょう。

スケジュールに入れてリマインド設定をしておけば、毎日の習慣にできます。

今日のコンディションはどうでしたか。

今日、一番印象的だったことはなんですか。

ChatGPTをコーチに見立てて、以下のように問いかけるのもいいでしょう。

あなたは私のコーチです。相手の成長軸を見つけることが役割です。「最近どうですか?」というあなたの発話から始めて会話を続けてください。

あなたは私のコーチです。私が仕事をする上で、大事にしたい価値観を明確にするため、10個の質問をしてください。

会議で発言しましたが、場が静まり返ってしまいました。考えられる理由を10個教えてください。

何度か質問してみて、たとえば「事前の情報共有が不十分だったかもしれません」という回答に「これかも」と思い当たれば、それが仮説になります。

そうすれば、「フォローアップのミーティングをして、挽回してみよう」などの打ち手が見えてきます。

KPT法など振り返りのフレームワークを使ってChatGPTと壁打ちするのもおすすめです。

KPT法とは、Keep・Problem・Tryの頭文字を取って名づけられたもので、プロジェクトなどの振り返りに使われます。

Keep：うまくいっていて、これからも続けたいこと
Problem：解決すべき問題
Try：新しく取り組みたいこと

あなたは私のコーチです。私にKPTアプローチを使いながら、今回のプロジェクトを振り返り、次への学びと行動につながるよう、適切な質問をひとつひとつしながら導いてください。

#コーチのスタイル

・質問は1回でひとつ
・答えるモチベーションがあがるように会話を進めてください
・私の思考を深めるために、適切に追加質問をしたり、要約したりしてください
・KPTを最後までやりきったら、最後にまとめて、はげましてください

古代ギリシアの哲学者ソクラテスは、人々との対話によって真理を追究しようとしました。ソクラテスのスタイルをもとにした、ソクラテス式問答法という問いの技法があります。

問いによって、相手の前提の間違いや矛盾、問題点を明らかにする「仮説の排除」を通じて、より良い仮説を導き出そうというものです。

ChatGPTに、「ソクラテス式問答法で私に問いかけてください」と入力すると、普段の生活ではあまり考えることのない哲学的な問いかけをしてくれるので、頭がリフレッシュされます。

ChatGPTに質問してもらって、モヤモヤを言語化

ほかにも、自分の振り返りを入力し、「ほかに考えられる改善点はありますか」と聞いても、回答してくれます。

「僕は落ち込みやすいので、3回に1回はいいところを褒めながら問いを立て続けてください」などの制約条件を入力すると、その通りにしてくれます。

ChatGPTのスマホアプリは音声認識の精度が高いので、独り言のように話しかけて、壁打ちすることもできます。

これから今日の振り返りを話していきます。「振り返り終わり」というまで聞き続けてください。「終わり」と言ったら適切にまとめて、次につながるアドバイスをください。

ChatGPTは、言葉にできないぐらいモヤモヤした状態でも、そのままぶつ

けてみると、まず分解してくれます。

僕・伊藤は、こんな質問をＣｈａｔＧＰＴに入力することもあります。

なんかつらいんです。選択肢くれませんか。

すると「あなたが抱えている問題や感情について、少し詳しく教えていただけますか？」という回答をくれるのですが、面倒なときは**「そちらから質問してください」と質問返し**をします。

すると、たとえば、以下のような質問が返ってきます。

最近、どのような出来事があり、それがあなたをつらい気持ちにさせましたか？

そのつらい気持ちや状況がどのような影響をあなたの日常生活や健康に与えていますか？

これまでに、同様の状況や感情に対処した経験はありますか？　どのように対処しましたか？

身近な友人や家族にこの状況を話すことはできましたか？　もしそうなら、その反応はどうでしたか？

今後どのような変化や解決策を望んでいるか、具体的に教えていただけますか？

質問にピンとこなければ、再生成ボタンを押しましょう。何度でも繰り返し回答してくれます。

気になる質問が見つかれば、それについて考えてみましょう。「〇〇について考えられる原因を10個挙げてください」と聞くこともできます。

こんがらがっている状態を分解して「こういうことですか？」と言葉にすることは、ＣｈａｔＧＰＴの得意領域です。

スタートは「まずはざっくり」で、「なんかつらいんです」だけで十分です。「そっちから質問してくれ」といえば、何かしら質問してくれます。

自分で言葉にできない状態だとしても、提示されたテキストの中から「これかな？」と思うものを選んでいけば、モヤモヤが整理されていきます。

このようにChatGPTは、インプットとアウトプットを繰り返す絶好の壁打ち相手になってくれます。

"How are you?"を口ぐせにすると何がいいのか

僕・伊藤が初めて米国に滞在したとき、誰かと顔を合わせるたび、みんなが「How are you?」と聞くのが印象的でした。

日常的なあいさつの定型文ですが、そう聞かれると、「元気です」とか「最近、忙しいんだよ」「実は昨日、風邪をひいちゃって」とか、なにかしら答えます。

日本とアメリカのコミュニケーションの違いについて考えてみたことがあるのですが、**ハウアーユーを使うかどうか**は、大きな違いのひとつだと思います。

これは実は、インプットとアウトプットを繰り返す基本だと考えています。「How are you?」（どう？）と聞かれたら、「はい」「いいえ」では答えられないので「自分は最近どうなんだっけ……？」と一瞬、考えます。

たいていの場合は、「元気だよ！（Fine）」などと定型文で答えるのですが、ちょっと仲の良い相手だったりすると、「いやー実は、久しぶりに車で遠出したら、渋滞にハマっちゃって、腰がつらいんだよ」などと返すかもしれません。

つまり、自分の状態について言葉にするトレーニングを、それと意識しないでやっているわけです。

これは会社で使われる1on1（ワンオンワン　上司と部下が1対1で行う面談）という手法と同じです。

1on1で大切なことは、上司が部下の状況を把握したり、業務指導をしたりすることではありません。

「最近どう？」と聞かれると、とりあえず現状を説明しようと脳が動き始めます。

「最近どうだっけ」↓「ちょっと行き詰まっているかもしれない」↓「どうしてだ

ろう?」と、問いかけられることによって、現状を言葉にしようとし始めるのです。

1on1は、モヤモヤを言語化してスッキリするための手法ともいえます。

上司の役目は、答えを示すことではなく、壁打ち相手として伴走することです。

この1on1のような対話も、ChatGPTを相手にトレーニングすることができ、やがては相手がいなくても、自問できるようになります。

「すげー、やべーカ」で好奇心を再起動させる

ChatGPTを相手にしたアウトプットの方法についてお話ししてきました。

では、インプットの量が足りなくて停滞してしまうときは、どうすればいいのでしょうか。

忙しくてインプットのための時間が取れないのであれば、時間を捻出すればいい、もしくは忙しい時期が終わるのを待てばいいので、ある意味簡単です。

そうではなく、**自分の好奇心が作動しないことで、インプット不足になってしまう**こともあります。好奇心が止まってしまい、何を見ても素通りするだけの状態です。

どんなものを見ても、「自分には関係ないな……早く家に帰って寝よう」ぐらいにしか思えない。「気づき」を得られない。自分がアップデートされないまま、くすぶっているという感覚です。

そんなとき、おすすめしたいのは「すげー、やべー力」を身につけることです。これは、何か気になるものがあったら、**とりあえず「すげー！　やべー！」と叫ぶ**というものです。

僕・伊藤は43歳のとき、総合事務用品メーカーのプラスに勤めながら、ソフトバンクアカデミアという企業内学校に参加しました。孫正義さんの後継者を発掘するという触れ込みで始まっただけあって、同期はみんなキラキラして見えました。

よく観察してみると、彼らは何かというと「すげー！」「やべー！」と叫んでいるのです。そこで、僕も真似して、とにかく「すげー！　やべー！」と言ってみることにしました。

当時の僕は「迷ったらやらない」を信条にしていたほどで、あとになって同期からも、「最初は、つまらないおじさんでしたよね」と言われました。

それが、この口ぐせをつけたことで変わったのです。

「すげー！　やべー！」と叫んでいると、いつの間にか、本当に「すげー！　やべー！」ものを、心が探し始めます。

心にワクワクが甦り、自分が好きなこと、面白いと感じることに意識が向かい始めます。

「すげー！　やべー！」は、**好奇心を再起動させる、マジックワード**なのです。

人は目の前にあるものの30パーセントしか見ていない

僕たちが外を歩いているとき、目の前には、さまざまな光景が広がっています。

でも実際に僕たちが見ているのは、**目の前にあるもののうちの、わずか30パーセント以下**だという説があります。

では目の前のものを見ずに、いったい何を見ているのでしょうか。

実は僕たちは、過去の後悔、そして未来の不安にばかり意識を向けているのだそうです。

「昨日も失敗して怒られちゃったよ」
「明日、会社に行くのイヤだな」
「貯金がなくなりそうだ、どうしよう」

こんなふうに過去のことをクヨクヨしたり、未来への不安を募らせたり。実際に存在しないものに気を取られて、目の前のものが見えなくなっています。

そうして時間ばかりが過ぎていきます。

ここ最近よく聞かれるようになったマインドフルネスとは、**「今、ここ」に意識**

を向けることです。

「今、ここ」に意識を向ける訓練をすることで、モヤモヤが止まり、目の前にあるものが見えるようになります。

マインドフルネスは、Googleが社員研修に取り入れたことで、ビジネスパーソンの間で一気に普及しました。

ストレスマネジメントの手法だと思っている人が多いのですが、Googleが導入したのは、従業員のクリエイティビティを高めることが目的でした。

過去や未来のモヤモヤに気を取られて、「今、ここ」に目を向けられなければ、目の前の出来事にワクワクできない。それではクリエイティビティは生まれません。

クリエイティビティは、自分の心の動きに素直に従い、目の前の出来事からヒントを得ることが起点になるからです。

自分軸で決める

after

生成AIのおかげで、チャレンジのコストがすごく下がる。
気づきが生まれる。クリエイティブになれる。

「自分は何に喜ぶのか？」「相手は何に喜ぶのか？」の
ぶつかり稽古

自分軸で決められる！

成長の
ゲームチェンジ
5

無難に周りの正解に合わせる

before

チャレンジのコストが高い

無難になる。周りの正解に合わせる。没個性になる。

「やるべき」でなく「やりたい」を起点に

iPhoneとガラケーの分かれ道はどこだったか

世の中には、自分軸が最初からはっきりしている人もいますが、たいていの場合、自分の好きなこと・やりたいことは、そんなに簡単にはわからないものです。

僕・伊藤も、いまの仕事が天職だと思えるようになったのは、50歳を過ぎてからでした。

だから最初は、誰かに命じられて、正解主義の「やるべき（must）」の動機で動いていていい。魂が入らなくてもいい。

けれど、そういうときでも、自分の心が動く方向を探すというベクトルを持って、壁打ちを続けることが大切です。

壁打ちして動き続けてさえいれば、「やりたい（want）」が必ず見つかります。

見つかったら、今度はそれを動機にして動き始めましょう。

そうやって自分の「やりたい」を軸にして一歩を踏み出すと、どんなことが起きるのでしょうか。

やがて一人、二人と、「私もこれが好き」「僕も一緒にやりたい」と共感してくれる人が現れるはずです。

共感した人たちが仲間となって、現実が変わり始めます。

綿密にマーケティングをして、最大公約数に受けるものを提供するより、とことん自分の世界観にこだわったものをつくって、**少数でもいいから熱狂的なファンを獲得する**。「お客さん」というより「仲間」になってもらう。

これからは、そんな循環がビジネスを動かすようになっていきます。

iPhoneが誕生したのは2007年のことです。当時、日本では携帯電話のメーカー各社が、マーケティングに一生懸命取り組んでいました。マーケット調査を繰り返して「どんなものがほしいですか?」と顧客に尋ねるわけです。

顧客は、いまある製品の延長で、「充電の保ち時間を長くしてほしい」「もっと絵文字をたくさん使いたい」「気分によっていろいろなデザインを楽しめるといいかも」などと、いろいろ要望を伝えます。

そうした声に忠実に従った結果、１００種類以上の着せ替えができる携帯、１００時間以上も音楽が聴ける携帯などが、毎シーズン発表されることになりました。顧客からの声を聞き続けて、日本の携帯電話はどんどん細分化してガラパゴス化していきます。

そしてiPhoneが上陸すると、あっという間に市場は席巻され、日本メーカーは携帯電話事業から撤退してしまいました。

スティーブ・ジョブズがiPhoneをつくったのは、顧客に言われたからではありません。「こんなデバイスがほしい」と自分が思ったからです。

こんな未来にならなければイヤだ。そんなビジョンに現実の方を合わせてしまったのです。

「ないものを埋める」から「ほしいものをつくる」へ

これまでビジネスの主な役割は「ないものを埋める」ことでした。

自動車が足りないから、つくる。冷蔵庫が必要だから、つくる。

同じ時間で、よりたくさんのものをつくれる会社、いまあるものを改善できる会社が評価される。解くべき問いは明快でした。


でも、もう自動車も冷蔵庫も世界中にほぼ行き渡ってしまいました。

自動車は少なくとも一家に1台はある。都市部ならカーシェアでも用は足ります。

スマホも一人1台は持っていて、好きなときに映画や動画を観られます。


もはや「ないもの」が見つからない。完全に満足しているわけではないけれども、がむしゃらに努力してまで埋めたい欠乏もない。そもそも何がほしいのか、わからない。

日本ではまさに、糸井重里さんがつくった名コピー「ほしいものが、ほしいわ。」

の世界が実現してしまったのです。

そうなると、「冷蔵庫が必要ですよね。世帯人数の平均は4人だから、4人家族向けに役立ちそうなマンションサイズの冷蔵庫をつくっておきました」というような最大公約数の正解探しニーズは、相対的に低下していきます。

そこで必要になってくるのは、「これがつくりたいんだ」という、つくり手側の強い思いです。

2023年6月に公開されたAppleの新商品Vision Proのコンセプトムービーは、2週間で5100万PVを超え、YouTubeで公開されたAppleの動画の中で、過去最高の再生回数となりました。

「複合現実ヘッドセット型PCがほしいなあ」などと思っていなくても、空間がシアターに変わり、指を動かすだけで操作できるのを見たら、「そんな未来があったらいいいな」「自分もほしいな」と思うようになります。

これも**「ないものを埋める」から「ほしいものをつくる」への転換**です。

ビジョンの語源はラテン語の「見る」です。

自分がほしいもの、つくりたいものを、不完全でもいいから、まずは形にしてみる。

いままで見えていなかったものが見えるようになると、その未来に共感した人たちが一人、二人と集まってくる。

仲間が増えることで、未来が現実になり、共感してくれた人がファンになって、「これいいよ」とみんなに広めてくれる。

「何がほしいですか」と顧客に尋ねるのではなく、**「こんなものをつくりたい」という熱に共感してくれる人を増やす**のが、これからのマーケティングということになります。

人を動かせるのは「なぜやるのか」という思い

経営学の用語に「**アウトサイド・イン**」「**インサイド・アウト**」というものがあ

ります。

アウトサイド・イン：市場ニーズや競合動向に合わせて商品やサービスをつくる
インサイド・アウト：内発的動機に従って行動する（内なる声を聞く）

これまでは、アウトサイド・イン、つまりマーケティング調査を行い、「どんな新商品があったらいいと思いますか」「どうやらこれが売れそうです」という市場ニーズから逆算して商品をつくっていれば、そこそこ売れました。

けれども、いまや世の中にはアウトサイド・インのアプローチが溢れています。ＣｈａｔＧＰＴが市場調査をしてくれるようになると、アウトサイド・インは誰もができるようになり、いっそう価値がなくなっていきます。

他方、希少化するのがインサイド・アウトです。

インサイド・アウトを理解するために、わかりやすい動画があります。
サイモン・シネックという作家がＴＥＤで語った「優れたリーダーはどうやって

行動を促すか」という動画です。６０００万回以上再生された伝説のスピーチで、『ＷＨＹから始めよ！』というタイトルで書籍にもなっています。

この動画でサイモンは、僕たちが行動するとき、偉大で人を動かす指導者や組織のリーダーシップの真ん中には、「なぜやるのか＝Ｗｈｙ」という問いがあると言います。

「なぜやるのか」→「どうしてもこれをやりたいから」という思い（Ｗｈｙ）があって、それを達成するために、「Ｈｏｗ（どうやるのか）」「Ｗｈａｔ（何をするのか）」を考える。

そして、**人を動かすのは「何をするのか」ではなく、「なぜやるのか」というその人の思い**です。

「この人、正しいことを言っているな」と思っても、僕たちの感情は動きません。「この人は、心の底からやりたいんだな」という思いに触れ、共感することで、人は初めて動きます。

∨「とにかく新規事業を」のプロジェクトが挫折する理由

最近では「パーパス経営」を取り入れる会社が増えています。

パーパスは目的という意味です。

「なぜ私たちは存在するのか」という存在意義やフィロソフィー（哲学）が明確で、従業員や顧客、株主に共有されているのが、パーパス経営です。

パーパスは、お客様に聞いてつくるものではありません。自分（自社）の内なる声に耳を傾けて、どんな未来をつくりたいか、その未来にどのように活動していたいのかを描くものです。

これまで僕たちは経済合理性をプリンシプル（原則）としてビジネスに取り組んできました。利益を上げ、株主に還元するために会社が存在するという考え方です。

しかしこれからは、「**Why you?（なぜ、あなたがそれをやるのか）**」が問われるようになります。

2023年に経済同友会が「日本企業のイノベーション創出に向けた経営者への提言」を公表しました。

ここでは「イノベーション創出のための方策にかかる課題とその対応方針」として、以下の分類を挙げています。

1. 自社の存在意義・理念等の徹底・浸透
2. ダイバーシティ&インクルージョンの推進
3. 「知の深化」・「知の探索」
4. 新規事業の募集・提案
5. オープンイノベーション（産学連携等）の推進

ここで画期的なのは、「自社の存在意義・理念等の徹底・浸透」が最初に挙げられている点です。

つまり「Why」が最初にきている。

この順番を間違えてしまうと、うまくいきません。「とにかく新規事業をやろう」「社内起業を増やせ」というプロジェクトが挫折しがちなのは、「何のためにやるのか」が置き去りのまま、走り出してしまうからです。手段が目的化しているのです。

現場で奮闘する起業家やビジネスパーソンにとっては、すでにあたりまえのことかもしれませんが、経済同友会のような団体が発信したことに大きな意味があると感じます。

米国のNIKEは2018年、アメフト選手のコリン・キャパニックを広告に登用して大きな話題を呼びました。キャパニック選手は人種差別に抗議するため、国歌斉唱時に起立を拒否して、事実上リーグを追放されていたからです。

この広告でNIKEは、キャパニック選手の大きな顔写真とともに「何かを信じよう。たとえすべてを犠牲にしても（Believe in something. Even if it means sacrificing everything.）」というコピーを掲げました。

もちろん激しい賛否両論を巻き起こしましたが、若者を中心に絶大な支持を受け、株価を引き上げることになりました。リスクをとってでも、自社のフィロソフィー（企業哲学）を打ち出したわけです。

スキルを身につけることが人生の目的になっていないか

個人はインサイド・アウトが問われ、フィロソフィー（哲学）と世界観を持った会社だけが生き残る。そんな時代になろうとしています。

僕・伊藤が学部長をしている武蔵野ＥＭＣでは、まず「夢を語る」ということをやっています。

シリコンバレーに行ったり、活躍中のリーダーの話を聞いたりする中で、学生には、「これ、やりたい」「あれをやってみたい」という夢が少しずつできてきます。そして周囲の仲間に自分の夢を語り、「いいね」「面白い」とか「こうやってみたら」というフィードバックをもらいながら、少しずつ行動に移していきます。

そんなふうに夢をかたちにしていく中で、

「ネットでものを売るなら、マーケティングの知識もあった方がいいね」
「お金の流れがわからないと倒産しちゃうから、会計の知識も必要だね」
と考えるようになります。それを学ぶためにスキルの科目もあります。

僕たちはマーケティングや会計の知識があるから会社をつくれるわけではありません。それらの知識やスキルは、会社をつくったり、事業を運営したりするために必要なツールに過ぎません。

にもかかわらず、僕たちは手段を目的化してしまいます。

本当は「こうなりたい」という思いが先にあるはずなのに、いつの間にかスキルを身につけることが人生の目的で、それさえあれば安心であるかのように錯覚してしまうわけです。

それでは**手段が人生になってしまっているのと同じ**です。

もう肩書では人を動かせない

これまで日本の大企業では、社員に階層があり、上に行くほど、情報や決裁権限が増えるのがあたりまえでした。それは、成果を上げるためには、一定の経験年数や実績が必要とされていたからです。

社長や役員が全社の状況を把握して、トップダウンで号令をかける。部長は、自部門のことを知っておけばいい。ましてやヒラ社員は、経営会議での意思決定など知らなくていい。とにかく上からの指示に従っておけばいい。

しかし、こうしたやり方では限界が出てきました。

組織全体で情報を共有して、それぞれの部門や社員が柔軟に動ける組織でなければ、変化のスピードについていけません。

アイデアや知恵は現場にこそあるのだから、いちいち課長から部長、役員会に決裁を回すよりも、会社の理念や原則に照らし合わせた上で、自律的に動ける組織の方が強いのは、ある意味当然です。

トップダウンであるタテ型からヨコ型へと、組織や社会が変わりつつあります。

組織がタテ型からヨコ型になって、これまでの階層が崩壊してしまうと、上意下達のやり方も通用しなくなります。

「俺は部長だから言うことを聞け」と命令したところで、「何のためにですか?」と返ってくるのがオチです。

ヨコ型の組織で求められるのは、誰かが持っている知恵を発掘して、仲間を巻き込んで大きくしていく力です。

そのためには、相手が上司でも部下でも、**一人ひとりの人間としてきちんと1on1のコミュニケーションがとれる**ことが必須です。

そもそも正解がないので、対話と議論を通じて、みんなが思い思いに動けるような場をつくっていくことが、マネジメントの仕事になっていきます。

競争優位性の決め手はIQから偏愛へ

東京大学で人工知能の研究をしている松尾豊先生に伺った話です。

300年ほど前まで、人材の競争優位性は、主に筋力でした。

当時は、畑仕事や狩猟、家内制手工業が中心だったので、長時間働ける体力のある人、重いものをたくさん運べる人が優秀とされていました。力自慢のマッチョな人＝評価される人材だったのです。

やがて競争優位性は、筋力から頭脳に変わりました。蒸気機関とエンジンが発明されて、重いものを運んだり、広大な畑を耕したりするのは、機械がやってくれるようになったからです。

それよりも工場で工期を管理し、決められたマニュアルに従って業務を遂行できるＩＱが高い人材を雇った方が、生産性が上がります。

そしていま、頭脳労働者はＡＩに取って代わられようとしています。

では、これから何が頭脳に代わって競争優位性になるのか。

それは「**偏愛**」だそうです。

力自慢のジョン・ヘンリーが蒸気機関とハンマー振りの勝負をして、力尽きて倒れてしまう。アメリカに伝わるこんな物語があります。

僕たちが正解主義にこだわったまま、ＡＩと同じ土俵に立って仕事を奪い合うのは、蒸気機関と力勝負するようなものです。

そんなことをするよりも、新しく手に入れた道具を使いこなして、これまでできなかったことを楽しむほうがよっぽどいい。

月に数十万円払って人間を雇わなくとも、月額数千円払えばＡＩが作業してくれる。

こうした変化のなかで、「いや、俺のほうが丁寧に議事録を書ける」などとＡＩと競争したところで、意味はありません。

それはジョン・ヘンリーのように、蒸気機関と力比べをするようなものです。

気がつけばこんな上まで！

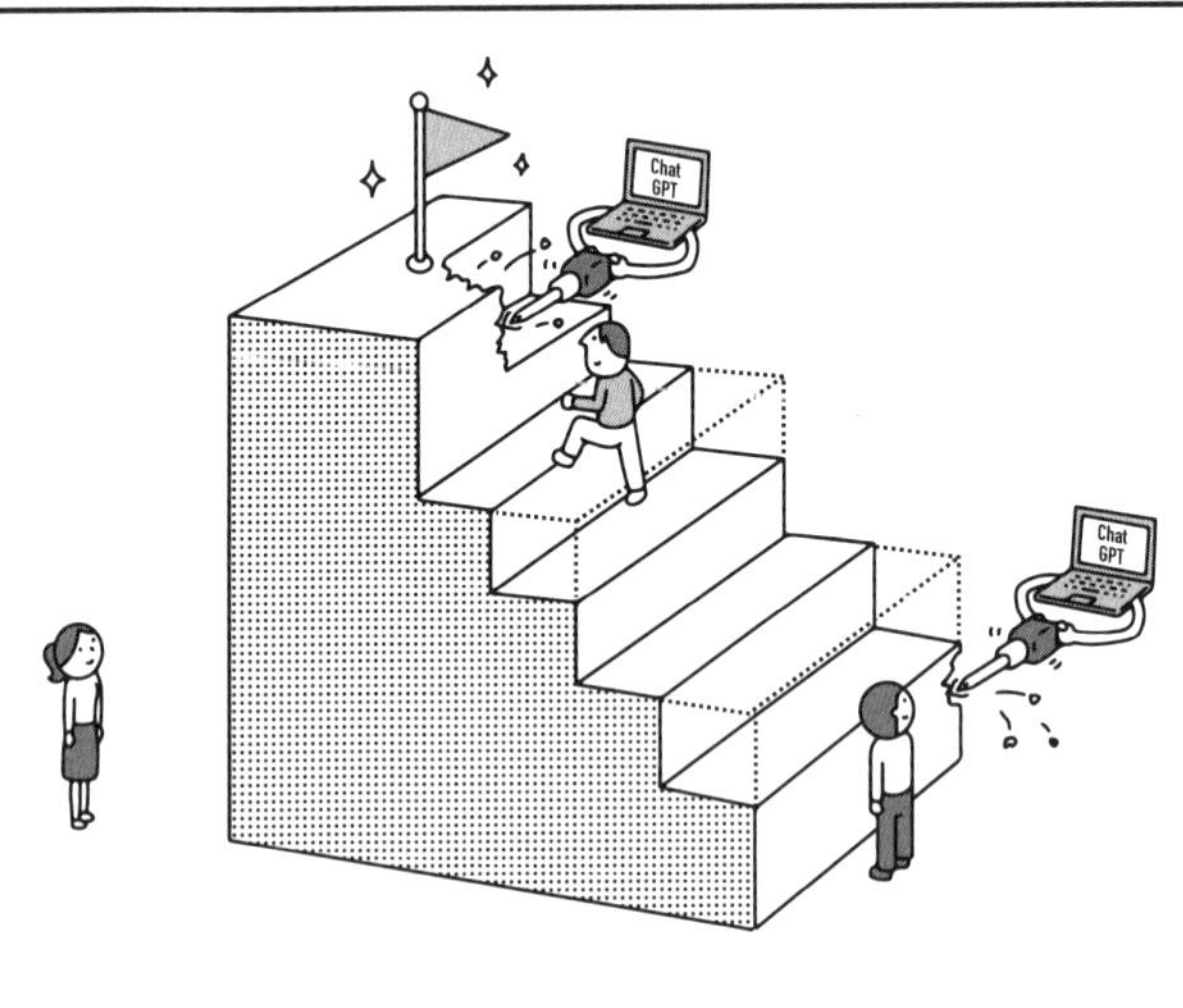

after

ChatGPT と壁打ち。
ChatGPT が自分に合った高さにしてくれる。

上るのが楽しい。人にも喜んでもらえるからますます楽しい。

気がつけばこんな高いところまで上っていた！

成長の
ゲームチェンジ
6

こんな高い階段、上れない

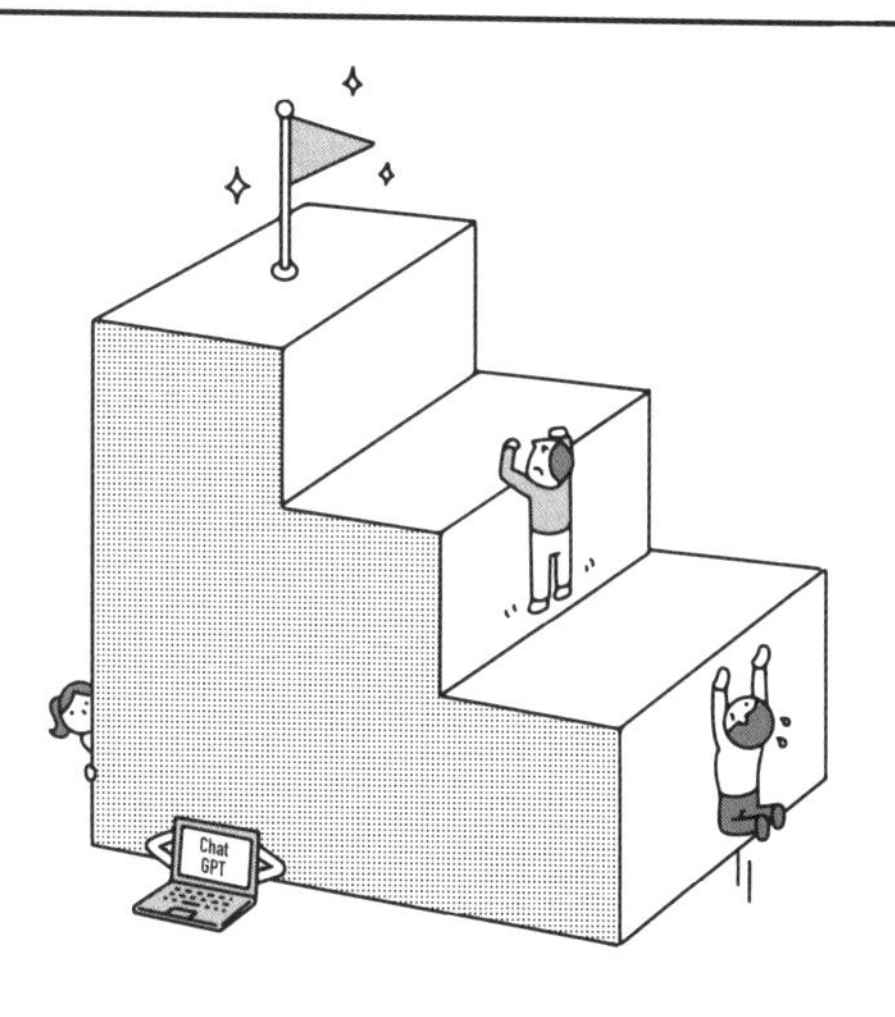

before

モヤモヤした心。「頭の良さ」の壁。
「経験」の壁。「センス」の壁。

階段が絶壁に見える。

第8章

普通の人だって こんなに高くまで 行ける

優れた起業家に共通する「クレイジーキルトの原則」

最近、経営学では、エフェクチュエーションと呼ばれる理論が注目されています。優れた起業家に共通する思考や行動プロセスを体系化したもので、バージニア大学のサラス・サラスバシー教授が提唱しています。

エフェクチュエーションの中の重要な原則のひとつが「クレイジーキルトの原則」です。

クレイジーキルトというのは、パッチワークのパターンのひとつで、大きさや形、模様の不揃いな布きれを縫い合わせて作品に仕上げるものです。

すなわち、優れた起業家は、**最初から完璧な事業計画を立てて実行するのでなく、**まず「自分はこれがやりたい」と発信して行動することで、共感する人が集まっていろいろなつながりが生まれ、それを組み合わせて新しい事業を創造していくという原則です。

スティーブ・ジョブズがiPhoneを発明したのも、こんな感じだったのではないでしょうか。

「Appleを立ち上げて、コンピュータをつくったけど、オフィスや家でしか使えないのはいやだ。いつでもどこでも持ち歩けるようにしたい」

「電話ができるだけじゃつまらない。ネットで検索もしたいし、メッセージも送りたい。写真も撮りたいし、音楽も聴きたい。動画も見たい」

こんなふうに言っていると、周囲の人間が「実は、こんな新技術があるんですよ。これ使えるんじゃないですか」と提案してくれる。

それに対して、「こんなんじゃダメだ。タッチセンサーは、もっと直感的に操作できるように」とか「拡大・縮小できるようにスワイプもしたい」などとジョブズが無茶ぶりをする。

すると、技術者が一生懸命に開発してくれる。

その繰り返しでiPhoneができたのだと思います。

生成ＡＩによって、クレイジーキルトの原則はさらに進化しています。

「こういうものをつくりたいんだ」という最初のボールさえ投げれば、そのために必要な情報や手順は、ＣｈａｔＧＰＴがインターネットにつながった80億人の知恵を総動員して考えてくれます。

それどころか、歴史上の人物、過去の書物に蓄積された言葉など、インターネット空間のあらゆる知恵が味方になってくれます。

僕たちがやるべき一番大事なことは、**自分だけの「これ、やりたい」に気づき、その種火を消さないこと**です。

小さくてもいいので、「これ、やりたい」を形にして発信していくと、それまでなかったものが見えるようになります。

見た人が「いいね」と共感し、「自分もやりたい」と合流し、「この指とまれ」で仲間が集まってくるので、より望ましい未来に近づいていけます。

共感してくれる人が現れれば、自分の「これ、やりたい」は誰かのやりたいことなって、その周囲へと広がっていきます。

そうやって熱量が広がり、新商品を買ってくれ、周囲に勧めてくれるロイヤリティの高い顧客が確保できれば、思い切った投資ができるようになります。

その結果、未来が現実化するスピードが加速していきます。

「これ、やりたい」を手に「わらしべ長者」でいこう

楽天大学学長の仲山進也さんから聞いた話です。

ある知人は、赤ちゃんを抱っこするのに「こんなものがあったら便利だな」と手作りした抱っこひも収納カバーが周囲に好評で、頼まれてつくるうちに口コミが口コミを呼び、やがて事業化して経営者になったそうです。

起業家というと、きちんとした事業計画書をつくり、必要な資金や人材を調達して、「俺について来い！」とリーダーシップを発揮する経営者を思い浮かべるかも

しれません。

でもこれからは、**普通の人が目の前のことを好きでやっていたら、いつの間にか仲間が現れて、事業になっていく。**

そんな起業家があたりまえになっていくのではないでしょうか。

「わらしべ長者」という日本の昔ばなしがあります。

主人公は最初、一本のわらしべしか持っていませんでした。わらしべの先にアブを結びつけて歩いていたら、それを子どもがほしがったのでミカンと交換し、次々と物々交換していくうちに、大金持ちになるという物語です。

新しい時代を生きる僕たちの**最初のわらしべは、「これ、やりたい」という思い**です。

これをやりたい、つくりたい。何かを変えたい。

一人の夢中から、一歩を踏み出す。

正解を探す必要はありません。誰かに合わせる必要もありません。

「これ、やりたい」は自分の中にしかなく、自分という存在は一人しかいません。

これまで過ごしてきた時間も、経験や価値観も人それぞれだからです。

対話と内省を通じて、自分だけの「これ、やりたい」を見つける。

そこに意味を見出して、歩き始めるのは自分です。そこから、未来が動き始めます。

逆算思考の呪縛から自由になる

「キャリアゴールがわかりません」

僕・伊藤は、若い人たちからよくこんな相談を受けます。

僕だって、自分のキャリアゴールなんて、正直、わかりません。

たくさんの人がキャリアゴールがわからないと不安になっているのは、そもそも**ありもしないものを求めているから**です。

その根っこにあるのは、逆算思考が大事だという強迫観念です。

そもそも、キャリアや人生を逆算思考でなんとかしようすることに、無理があります。


逆算思考は、試験勉強や、来期の目標達成のためには役立つ考え方です。

しかし、**キャリアゴールや人生のゴールは、逆算思考だけでは決められません。**

生きていくうちには、自分のコントロールが及ばないところで環境がどんどん変わり、予測できないことが起こるのがあたりまえだからです。


とはいえ、どこに進んでいいかわからないと、一歩を踏み出せません。

そこでおすすめしたいのは、仮置きのゴールをつくることです。


ディー・エヌ・エーの主力事業は、もともと「ビッダーズ」というオークションサイトでした。

その後、いち早くモバイルゲーム市場に参入。「モバゲー」が大ヒットし、いまでは売上1000億円を超える大企業に成長しています。

事業を方向転換することをピボットといいますが、環境が変わったとき、素早くピボットし続けられる会社が生き残ります。

キャリアゴールに対して、キャリアドリフトという理論があります。ドリフトは「漂流する」という意味です。

大まかな方向性だけ決め、仮置きのゴールをつくって、前に進む。途中では流れに身を任せ、ゴールを変えてもいい。

そうやって出会いや変化を楽しむうちに、結果としてキャリアが築かれていくという考え方です

そのとき大切なのは、キャリアアンカーです。アンカーは「錨（いかり）」という意味です。「自分のペースで仕事をしたい」「安定を重視したい」「社会や人の役に立ちたい」など、自分が大切にしたい軸さえ明確にしておけば、流れに身を任せても、大きな方向性を見失うことはありません。

マネタイズの手段は後からついてくる

「『これ、やりたい』が大事だというのはわかりました。でも好きなことだけでは食べていけない。生活していくには、やっぱり好きでもない仕事を我慢してやらなければいけないのではないでしょうか」

こんなふうに思われるかもしれません。

もちろん「好きなことさえやっていれば、必ずお金になる」わけではありません。実際には、多くの人がしんどい仕事を我慢しながらやっているのも現実です。

ただ僕・伊藤が、自分自身の経験として実感するのは、**人が集まる場所にはお金も集まる**ということです。

そもそもYahoo!という会社ができたのも、最初は自分たちがやりたいからインターネットのディレクトリ型と呼ばれる検索サービスをつくっていたら、これは便利だというのでトラフィックが増え、じゃあそこに広告を貼りましょうというので、結果としてビジネスになったわけです。

つまり人から「ありがとう」と言われるサービスをつくったり、共感を呼ぶコンテンツを発信していたりすれば、マネタイズの手段は後からついてくる。

いまは、好きなことをマネタイズしやすい環境がどんどん整備されています。YouTubeのように、インターネット上で個人のコンテンツと広告をマッチングする仕組みが広がっているからです。

僕・伊藤は、Voicyという音声プラットフォームでパーソナリティをしています。ほとんどの放送は無料で聴けますが、一部だけプレミアム放送として有料にすることもできますし、番組にスポンサーがつくこともあります。

僕の場合、Voicyはマネタイズのためにやっているのではなく、自分のメッセージを伝える手段だと考えています。ですが、講演会などに呼ばれて話すたびに「Voicy聴いています!」と言ってくれる方がいます。

Voicyが宣伝ツールになっているので、長い目で見ると収入につながっているわけです。

堀江貴文さんやひろゆきさんのようにＳＮＳで何百万フォロワーを集めるのは無理でも、50人、１００人とフォローしてくれる人が増えれば、そこから広がりが生まれます。

ＳＮＳでフォロワーを増やす情報発信の方法

では50人、１００人にフォローしてもらうためには、どうしたらいいのか。それには、けんすう（古川健介）さんが提唱された考え方が役立ちます。

1. 情報（Information）
2. 意見（Opinion）
3. 日記（Diary）

ＳＮＳで情報発信する場合、この順番を意識するといいというものです。

人気インフルエンサーならともかく、フォロワーがほとんどいない時点で、昨日食べたラーメンの写真ばかりアップしても、誰も見てくれません。

まずは役立つ情報を多めに発信する。それから徐々に意見を発信して共感してくれる人にフォローしてもらう。ある程度フォロワーが増えた時点で、初めてラーメン写真のような日記を増やしていく。


詳しくは、けんすうさんの note に記載されています。少し前の記事ですが、ご関心のある方は読んでみてください。

「これから発信してファンを増やしたいぞ！という人のための教科書」

https://kensuu.com/n/n5fb190adc878

こうした情報発信を習慣にする際にも、ＣｈａｔＧＰＴが役に立ちます。

気になる動画を紹介したいのであれば、先にお話ししたようにＣｈａｔＧＰＴに要約してもらい、さらに「この情報を１４０文字以内で要約してください」と頼めば、すぐに使えるテキストができます。

気になるトピックについてブログにするなら、「○○についての記事を書く場合、どのような章構成が考えられますか？」「その章構成で、それぞれ200文字程度で本文を作成してください。中学校1年生でもわかるようにしてください」などと入力すれば、ベースになるテキストができます。

情報は発信するところに集まると言われます。多くの情報を与える人には、自然と情報が集まってきて、情報発信の好循環が生まれます。

必要な装備は歩き出してから調達すればいい

先行きの不確かな世界を冒険するためには、地図が必要です。

けれどもいまは、変化のスピードがあまりに速く、地図ができた頃には地形が変わってしまう、そんな時代です。こんな状況では、もはや地図は役に立ちません。

そのとき、地図の代わりに僕たちを助けてくれるのがＣｈａｔＧＰＴです。

「正解主義」の時代には、万全の装備を準備してから歩き出すのが良いとされていました。いま必要なのは、まず一歩を踏み出す力です。

踏み出してみると、思ったよりも歩きやすいなとか、道がぬかるんでいるなということがわかります。ぬかるみがあったら、その場で長靴を調達すればいい。

正解を探している間に、状況はどんどん変わってしまいます。そんなときに成果を挙げられるのは、まず一歩を踏み出して、**歩きながら必要な装備を装着していける人**です。

必要な装備の調達は、ＣｈａｔＧＰＴがアシストしてくれます。

自分が一歩を踏み出せば、仲間になってくれる人や、協力してくれる人も現れます。

注目されている経営理論に「センスメイキング理論」というものがあります。混沌とした不確実な未来の前では、正解を探すよりも、「そうか、なるほど」「そっちだったら、迷いなく進めるわ」と関係者がセンスメイキング（腹落ち）できる未来を進んでいく方が、結果として成功を勝ち取りやすいというものです。

これは早稲田大学教授の入山章栄さんが経営学誌「ハーバード・ビジネス・レビュー」で世界標準の経営理論として紹介した経営理論のひとつです。

同誌が読者アンケートをしたところ、ここで紹介された約30の経営理論の中で、最も好きな理論に「センスメイキング理論」が選ばれたそうです。

つまり日本のエリート層も、正解探しではなく、まず一歩を踏み出した人への共感こそが未来をつくる原動力になっていると気づいているのだと思います。

ジグソーパズル的発想とレゴ的発想

この100年ほど、ビジネスはジグソーパズル的な発想で動いていました。生成系AIによって、これからはレゴ的発想が大事になっていきます。

ジグソーパズルは、正解の絵が最初に決まっていて、それを完成させるために、必要なピースをひとつひとつ埋めていきます。最終形に向かって、他人よりも速く正確に作業をすることが求められます。

レゴは、いろいろな色の、長方形や正方形のシンプルなパーツを、好きな形に組み立てていきます。何が完成するかはわかりません。

修正主義の時代に合うのはレゴ的発想です。

自分の得意なことをいかして、それ自体を楽しみながらレゴを組み立てていく。組み立てている本人にも、最終的なゴールはわからない。ただこの瞬間が楽しいから、夢中になって没入していく。

そうしているうちに、その熱がまわりに伝染し、多くの人が巻き込まれていく。自分でも想像していなかった遠いところまでたどりつき、それが自分だけでなく、他の誰かの喜びにもなる。

まさに、**「やるべき(MUST)」から、「やりたい(WANT)」への、起点の転換**です。

時代はロジカル・シンキングからアブダクションへ

ジグソーパズル的発想とレゴ的発想では、思考の筋道も変わってきます。

ジグソーパズル的な発想では、論理的思考、すなわちロジカル・シンキングが重視されてきました。

これに対して、レゴ的発想では、アブダクション、**仮説的推論**という思考法が大切になります。

アブダクションとは、**3つか4つくらいの事実**から、「こう言えるのではないか」という法則を見出して、ちょっと違ったなと思ったら、**どんどん修正を繰り返していく思考法**です。


新商品を発売するとき、これまでは市場調査を重ね、時間をかけて膨大なデータを分析して、正しい順序で筋道を立て、「こんな市場ニーズがあるのではないか」と仮説を導き出していました。これがロジカル・シンキングです。

しかしＡＩが進化したことで、そのプロセスは誰でもあっという間にできるようになり、競合相手もどんどん次の一手を打ってきます。これまでの10倍速でチェスのゲームをするようなものです。

そこで、アブダクションの思考法で叩き台としての仮説を繰り出し、第4章でお話ししたように、SSRが出てくるまでガチャを回し続けるという発想が必要になってくるのです。

一歩踏み出すとき、不安と痛みはあって当然

正解探しをやめて、自分が「好きだからやる」「やりたいからやる」。この一歩を踏み出すのは、実は**不安と痛みを伴う**ことです。

正解探しは、ある意味、とても楽です。みんなが正解とすることに従っておけば、大きな失敗もないし、あまり非難されることもありません。

その場所を出て、正解のない世界に飛び込むのだから、不安や痛みがない方がおかしい。

しかも最初はひとりぼっちです。「これが好き」「やりたいからやる」を続けていると、共感が生まれ、仲間が現れますが、それには少し時間がかかるからです。

多くの人はそこで心が折れて、これまでの正解主義に戻ってしまいます。

さらに、**これまで優秀とされていた人ほど、努力のやり方を変えて慣れ親しんだコンフォートゾーン（安全地帯）を出るのは大変**です。

自分の成功パターンを捨てて、新しい環境に飛び込むわけですが、新しい環境で成果を出すには、どうしてもタイムラグがあります。

それまでは周囲から「すごいね」と評価されていたのに、「あの人、最近何やっているの？」「最近聞かないよね」「あいつも年とったか」などと言われるわけです。

そうなると、変化する前に戻りたい、これまでの勝ちパターンでうまくいっていたコンフォートゾーンに戻りたいという誘惑に駆られます。

イソップ寓話の「すっぱいブドウ」では、手の届かない高いところに甘いブドウがなっています。

キツネは何度もジャンプして取ろうとしますが、届かない。そこで「あんなブドウ、すっぱいに違いない」と負け惜しみを言って去ります。

高く飛べない自分が悪い。でもそんな現実は直視したくないので、「あんな未来いらないよ」と否定することで、コンフォートゾーンに戻っていくわけです。

自分の選択が正しいかなんて、ジョブズだってわからない

コンフォートゾーンを出るとき、僕たちは、3段階の変化を経験します。

①不安
②痛み
③学びの歓び

まず好奇心を解放する。
学びの歓びに向かっていく。
しばらくはつらくても、誰もが経験する変化のプロセスを突き進む。

不安と痛みを抜けると、学びの歓びにたどりつきます。ここまで来れば、新しい世界に着地できたことになります。

「自分の選択が正しいのか、自信を持てません。一歩を踏み出しましたが、本当にこれでいいのでしょうか」

そんな相談を受けることもあります。そうだろうなと思います。

それは僕たちにもわからないし、きっと、孫正義さんに聞いても、スティーブ・ジョブズに聞いても「わからないよ」と答えると思います。

それでも、あなたが一度、「一歩、踏み出したい」と思ったのなら、進んだほうがいい。

不安に駆られると「正解」に戻りたくなります。

でも、**正しさに囚われると、僕たちは遠くに行けなくなってしまいます。**

自分はこれが好きなんだ。これをやりたいんだ。

「好き」を発信し続ければ、共感が生まれます。そして、気づけば一緒に歩いてくれる仲間が現れるはずです。

いまは勇敢な冒険家でなくても、普通の人が冒険に出られる時代です。
それを可能にしてくれたのがＣｈａｔＧＰＴです。
どんどん変わっていく状況に適応して、行動しながら修正していく。
その変化をぜひ楽しんで、「好き」から始まる一歩を踏み出してほしいと思います。

ブックデザイン●二ノ宮匡（nixinc）
イラスト●大野文彰
構成●渡辺裕子
DTP●美創

〔著者略歴〕

伊藤羊一（いとうよういち）

アントレプレナーシップを抱き、世界をより良いものにするために活動する次世代リーダーを育成するスペシャリスト。2021年より武蔵野大学アントレプレナーシップ学部（武蔵野EMC）を開設し学部長に。 23年6月にスタートアップスタジオ「Musashino Valley」をオープン。「次のステップ」に踏み出そうとするすべての人を支援する。また、LINEヤフーアカデミア学長として次世代リーダー開発を行う。 代表作『1分で話せ』（SBクリエイティブ）は60万部超のベストセラー。

尾原和啓（おばらかずひろ）

IT批評家。京都大学大学院で人工知能を研究。マッキンゼー、Google、iモード、楽天執行役員、リクルートなど、事業立ち上げ・投資を専門とし、内閣府新AI戦略検討、経産省対外通商政策委員等を歴任。現在13職目。NHK「令和ネット論」にてChatGPT／DXなどを解説。『モチベーション革命』（幻冬舎）は、2018年Amazon Kindle Unlimited年間1位。『アフターデジタル』（藤井保文氏との共著、日経BP）は元経済産業大臣・世耕弘成氏より推挙され、11万部超のベストセラーに。『プロセスエコノミー』（幻冬舎）は「読者が選ぶビジネス書グランプリ2022」にてイノベーション部門受賞。著書は、韓国・台湾・中国などで多数翻訳されている。

努力革命

ラクをするから成果が出る! アフターGPTの成長術

2024年5月20日　第1刷発行

著　者　伊藤羊一　尾原和啓
発行人　見城 徹
編集人　菊地朱雅子
編集者　小木田順子

発行所　株式会社 幻冬舎
〒151-0051 東京都渋谷区千駄ヶ谷4-9-7
電話：03(5411)6211(編集)
03(5411)6222(営業)
公式HP：https://www.gentosha.co.jp/

印刷・製本所　図書印刷株式会社

検印廃止

ISBN978-4-344-04240-7 C0095

この本に関するご意見・ご感想は、
下記アンケートフォームからお寄せください。
https://www.gentosha.co.jp/e/